Les Gouttes de Dieu 3

scénario : Tadashi Agi

dessins : Shu Okimoto

Préface

Karine Valentin

*Karine Valentin est fille de vigneron et, depuis l'enfance,
a vécu chacune des vinifications du domaine familial en Provence.
Arrivée à Paris, la seule solution pour retrouver le vignoble
fut de partir à la découverte de la France vigneronne.*

*Engagée à "Cuisine et Vins de France" depuis 15 ans,
elle gère le service vin parcourant les vignobles de France
et du monde, dégustant et écrivant sur le vin,
tout en collaborant à différentes émissions radio.*

Rewind

Comme une dégustation qui commencerait par la fin.

Un, deux, trois, quatre, cinq, six secondes en bouche... La caudalie de ce vin est l'une des plus longues qu'il m'ait été donné de compter. Le velours tendre remonte dans ma gorge, je me remplis de l'étoffe, elle envahit mon palais, rejaillit dans mon esprit, allume le réverbère de ma mémoire enfermée et me plonge au cœur du verger de l'enfance entre les pivoines et les roses anciennes de ma grand-mère. Et cette note indéfinissable, improbable et mystérieuse, comme si le Richebourg du Domaine de la Romanée-Conti essayait de me raconter sa naissance, ma naissance. Les nœuds se défont, j'entre dans le vin autant qu'il entre en moi. Son bouquet évoque la puissante ardeur de ses lopins glorieux. Le vin en tombant dans le verre avait émis comme un soupir, sa couleur iridescente lumineuse et pourtant discrète, indescriptible, avait laissé sur la nappe blanche les traces poudrées de rouge. Pour une fois rester sans voix, imaginer de voluptueuses délices dissimulées dans l'âme du vin et dans la mienne, mise à nu. Sur la table, le fumet éloquent du plus tendre des oiseaux. Dans les yeux, le ravissement d'un garçonnet, d'une fillette, prêt à saisir le jouet rêvé. Deux heures dans le ventre de cristal ont fait passer le vin de rouge à... sublime. La carafe encore écarlate du passage du Richebourg, impériale, arrogante au port de reine, explose d'une lumière irradiante, au sortir de la nuit souterraine. Dix ans d'un enfermement nécessaire indispensable, comme une mise à l'index, oubliée avec les autres dans le calme et l'humidité. Protégée en son verre et reliée seulement au monde par cinq centimètres de liège, Richebourg a vieilli. Lorsqu'il n'était encore que fruit, le pinot noir cultivé sans excès s'est nourri en puisant dans la profondeur des couches héritières des puissants plissements du Jurassique. Puis, ramassé simplement sans brutalité, le fruit rouge s'est laissé enfermer, subissant les outrages de la fermentation, il en est sorti grandi : Grand Cru de Bourgogne. Dans l'antre mystérieux des caves humides, sombres, qui suintent la terre, il a mis les dernières touches à sa splendeur. Et lorsque enfin il paraît, il a le monde à ses pieds. C'est le miracle du vin. Pour comprendre il aura fallu faire le voyage, un voyage imaginaire accompagné d'un ami, Shizuku Kanzaki, un voyage où les sensations passent par le palais généreux de celui qui doute autant qu'il goûte et ouvrent les portes du monde du vin... Certains ne les refermeront plus.

Karine Valentin

SOMMAIRE

#19 *Karma et cuisine*

ET J'AIMERAIS BIEN LUI ENVOYER UN COUP DE KARMA DANS LA FIGURE !

IL SE TROUVE QUE J'AI UN PETIT COMPTE À RÉGLER AVEC VOTRE CRITIQUE...

DÉSOLÉ, JE NE ME SUIS PAS ENCORE PRÉSENTÉ.

MAIS QUI ÊTES-VOUS ?

IL M'A PIQUÉ MA MAISON, VOUS VOYEZ...

VOUS ÊTES DONC UN SPÉCIALISTE DU VIN ?

AH...

Bières TAIYO
département vins
Shizuku
KANZAKI
TEL 03-XXXX-XX
FAX 03-XXXX-XX
E-mail S_kanzaki

ET JE TRAVAILLE AU DÉPARTEMENT VINS DES BIÈRES TAIYO.

JE SUIS SHIZUKU KANZAKI,

ENTENDU... JE N'AI PAS LE CHOIX, D'AILLEURS.

MAIS MON GOÛT ET MON ODORAT SONT SÛRS, DONC JE PENSE POUVOIR VOUS ÊTRE UTILE.

JE N'Y CONNAIS RIEN EN APPELLA-TIONS...

EUH NON... JE VIENS DE COMMENCER.

OH ? VOTRE CAVE EST POURTANT BIEN FOURNIE...

JE N'AI JAMAIS BU UNE GOUTTE D'ALCOOL.

POUR VOUS PARLER FRANCHE-MENT,

ET BUVAIT DE L'ALCOOL ...

ELLE AIMAIT LE VIN,

OUI... C'ÉTAIT MA DÉFUNTE FEMME QUI LA GÉRAIT.

...

EUH...

...

À CETTE ÉPOQUE, TOUT ALLAIT TOUJOURS BIEN...

JE PEUX VOUS DEMANDER QUELQUE CHOSE ?

EN-CHANTÉ.

JE M'APPELLE WATANUKI. JE SUIS LE PROPRIÉTAIRE ET LE CHEF DE "MA FAMILLE".

AU FAIT, JE NE ME SUIS PAS NON PLUS PRÉSENTÉ.

AH... DÉSOLÉ.

EN... ENTENDU.

JE FERAI MON POSSIBLE.

JE DOIS D'ABORD DÉTERMINER CE QUI LUI A DÉPLU.

QUOI DONC ?

ET LE MÊME VIN QUE VOUS AVEZ SERVIS À ISSEI TOMINE.

JE VOUDRAIS QUE VOUS PRÉPARIEZ, POUR DEMAIN MIDI, LE MÊME MENU A,

C'EST MOI !

CE FUT UN TEL CHOC QUE DEPUIS, JE N'EN AI PLUS JAMAIS SERVI À MES CLIENTS... HA HA HA !

JE COMPTE SUR VOUS.

DE PLUS, IL DOIT RESTER DE SES VINS DANS LA CAVE...

NULLE PART...

OÙ ÉTAIS-TU ENCORE EN TRAIN DE TRAÎNER, À UNE HEURE PAREILLE ?!

SUZU-KA !

OUH LÀ...

UNE FASHIONISTA...

ICI, C'EST UN RESTAURANT ! LES GENS VIENNENT POUR APPRÉCIER UNE CUISINE ET UN CADRE DIFFÉRENT DE CHEZ EUX !

ALORS, SI MA FILLE TRAÎNE AU MILIEU, ILS VONT...

ET IL ME SEMBLE T'AVOIR DÉJÀ DIT DE NE PAS PASSER PAR LA SALLE !

HA HA HA !

AH... ÇA CHANGE QUELQUE CHOSE ?

NORMAL, ON EST FERMÉS !

ET PUIS, Y'A PERSONNE !

OH, C'EST BON ! TU M'EMBÊTES !

...

ET ALORS ?

PETITE...

QUELLE FILLE INDIGNE...

...

TU AS ENCORE BU ?!

...

TU AS FINI LE LYCÉE DEPUIS DEUX ANS, TU N'AS TOUJOURS PAS DE TRAVAIL ET TU TRAÎNES DEHORS...

JUSQU'À CETTE HEURE-CI...

ALORS QUE TU N'AS MÊME PAS 20 ANS* !

JE LES AURAI BIENTÔT !

*NDT : âge de la majorité au japon.

COMMENT ?!

TU L'AS OUBLIÉ, SANS DOUTE ?!

ALLONS, ALLONS...

ET CE N'EST PAS NON PLUS LA PEINE DE VOUS ÉNERVER À CE POINT, MONSIEUR WATANUKI... ELLE EST JEUNE, VOILÀ TOUT...

TOI, CE N'EST PAS UNE MANIÈRE DE PARLER À TON PÈRE.

POUR CETTE SCÈNE PITOYABLE...

JE VOUS DEMANDE PARDON...

JE CROIS QUE JE COMPRENDS ÇA...

JE NE SAIS VRAIMENT PLUS COMMENT LA PRENDRE.

DEPUIS QUE SA MÈRE EST MORTE...

DE SON VIVANT, NOUS NE CESSIONS DE NOUS HEURTER.

J'AI RÉCEMMENT PERDU MON PÈRE, ET...

MAIS DEPUIS SA MORT...

JE COMMENCE À COMPRENDRE CE QU'IL ATTENDAIT DE MOI...

ET C'EST AINSI QUE JE ME SUIS RETROUVÉ À TRAVAILLER DANS LE VIN...

JE CROIS QU'EN FAIT, C'EST TOUJOURS COMME ÇA...

ENTRE UN PÈRE ET SES ENFANTS.

...

MAIS MAINTENANT, J'AI VRAIMENT ENVIE DE VOUS FAIRE CONFIANCE.

EN FAIT... J'ÉTAIS UN PEU PERDU QUAND VOUS M'AVEZ PROPOSÉ VOTRE AIDE, JE N'Y CROYAIS QU'À MOITIÉ...

HEIN ?

JE VOUS FAIS CONFIANCE.

ALORS...
JE M'EN
REMETS À
VOUS.

MARCHÉ
CONCLU !

OH ! SIGNOR CHOSUKE ! BUON-GIORNO !

BUON-GIORNO !

CLANG ! CLANG !

TENEZ... HÉ HÉ HÉ !

ET C'EST ?

À UN JEUNE PUNK ÉPRIS DE LA FRANCE ! JE VOUDRAIS RABATTRE SON CAQUET...

ÇA A L'AIR RIGOLO, ALORS DEMANDEZ CE QUE VOUS VOULEZ !

OH ! BENE !

MAIS J'AI UN SERVICE À VOUS DEMANDER.

DÉSOLÉ D'ARRI-VER SI TÔT...

ET BIEN QUE CELA ME BRISE LE CŒUR, IL VA FALLOIR N'EN CHOISIR QUE TROIS PARMI CES PETITS...

HUM... SEUL, C'EST BIEN DIFFICILE...

SI MA FILLE ET MOI VOUS AIDIONS ?

ILS SONT BON MARCHÉ, ET RICHES ET PUISSANTS, COMME MON CŒUR DE PAYSAN LES AIME...

CE SONT DES VINI FANTASTICI QUE J'AI CHOISIS...

CEPENDANT, MON DUEL AVEC LE PETIT COQ FRANCHOUILLARD PORTE SUR 3 BOUTEILLES, DANS LES 1000, 2000 ET 3000* YENS...

*NDT : environ 6, 12 et 18 euros.

SOFIA, VIENS UN PEU PAR ICI !

SIGNOR LEONARDO !

OH, GRAZIE ! J'ESPÉRAIS QUE VOUS DIRIEZ ÇA...

TU ES LÀ ?

OH, CHOSUKE...

AH OUI... PUISQUE C'EST AINSI, FERMONS POUR AUJOURD'HUI...

VOUS BUVEZ SI TÔT LE MATIN ?

OH, MAIS D'OÙ VIENT TOUT CE VINO ?

SOFIA ! PIACERE !

ET MANGEONS DES BONNES PÂTES ET DES BONNES PIZZAS PENDANT QUE NOUS DÉGUSTONS LES VINS DE CHOSUKE !

DOIT ÊTRE EN TRAIN DE S'ARRACHER LES CHEVEUX POUR TROUVER DU VIN FRANÇAIS BON MARCHÉ ET FACILE À SE PROCURER...

MÔSSIEUR LE "FILS DE"...

HADANE

スポン
POP

FERMER ? ON N'A MÊME PAS ENCORE OUVERT...

HA HA HA !

VRAIMENT, TOUT EST BON EN ITALIE... L'ALCOOL COMME LES GENS !

CLOS

TOUS LES PLATS ONT UN GOÛT PRONONCÉ, SANS LES FIORITURES SOPHISTIQUÉES DE LA CUISINE FRANÇAISE...

C'EST PAREIL POUR LA NOURRITURE...

EN COMPARAISON, TOUS LES VINS ITALIENS SONT PUISSANTS...

ET SE BOIVENT BIEN...

SI ON VEUT VENDRE AUX MASSES...

MIEUX VAUT DE L'ITALIEN QUE DU FRANÇAIS !

IL VA L'APPRENDRE À SES DÉPENS !

JE VOUS ATTENDAIS, MONSIEUR KANZAKI !

HUM ? QUI EST CETTE JEUNE PERSONNE ?

MERCI !

JE M'APPELLE MIYABI SHINOHARA.

OH... JE VIENS AIDER SHIZUKU...

UN CHABLIS PREMIER CRU DE CHEZ VERGET...

VOILÀ, JE VOUS MONTRE TOUT DE SUITE LE VIN BLANC QUE J'AI SERVI À ISSEI TOMINE.

CELA FAIT CHER POUR UNE CUVÉE MAISON, MAIS JE VOULAIS OFFRIR CE PETIT PLUS À MES CLIENTS.

C'EST UNE APPELLATION ASSEZ CONNUE, DANS LES 3000 YENS* LA BOU-TEILLE...

2003
CHABLIS 1ER CRU
"Vaillons"
APPELLATION CHABLIS 1er CRU CONTROLÉE
VERGET

CE PRODUCTEUR EST SURNOMMÉ LE "SORCIER" DU CÉPAGE BLANC CHARDONNAY... IL FAIT UN CHABLIS RICHEMENT FRUITÉ, MAIS AUSSI TENDRE ET DÉLICAT...

OH...

UN MILLÉSIME 2003...

LA DERNIÈRE FOIS, JE LUI AVAIS SERVI DU 2002, MAIS IL N'Y EN A PLUS CHEZ LES CAVISTES DU VOISINAGE.

*NDT : environ 18 euros.

EFFECTIVEMENT, IL SE RESSENT VRAIMENT COMME UN VIN FRUITÉ ET DÉLICAT...

DE L'ANANAS BIEN MÛR, ET AUSSI UN ARÔME DE CHÊNE FUMÉ...

OUI, EN EFFET... LE FRUITÉ EST RICHE... JE SENS DE NOMBREUSES FLEURS,

ALORS LE VIN EN LUI-MÊME N'EST PAS LE PROBLÈME...

AH BON...

SNIF

C'EST MON AVIS, MAIS...

IL EST SI FRUITÉ QU'ON DIRAIT UN MEURSAULT...

IL EST ENCORE JEUNE, ET L'ARÔME DE "NOUVELLE CUVE" SE DÉTACHE...

IL DOIT COÛTER DANS LES 4000 YENS*... ÇA PEUT PARAÎTRE CHER, MAIS COMPARÉ À UN MEURSAULT PREMIER CRU, C'EST PLUTÔT BON MARCHÉ...

*NDT : environ 25 euros.

ET VOICI LA MÊME MOUSSE D'OURSINS QU'À L'ÉPOQUE...

ET LE FOND DE SAUCE EST À LA BISQUE DE HOMARD...

J'AI JUSTE AJOUTÉ UNE TOUCHE DE CITRON AU BEURRE ET À LA CRÈME FRAÎCHE...

...

EST DÉLICIEUX ! CE PLAT AUSSI...

ON DIT TOUJOURS QU'AVEC LES HUÎTRES, ON BOIT DU CHABLIS.

CES HUÎTRES DEVRAIENT ÊTRE PARFAITES AVEC LE VIN...

GNAP

C'EST BIZARRE...

QUAND JE LES AI GOÛTÉES, JE N'AI ABSOLUMENT RIEN SENTI...

VRAI-MENT ? C'EST IMPOS-SIBLE...

OH ? ELLES ONT UN ARRIÈRE-GOÛT...

QUOI ?

C'EST DONC CELA...

AH OUI, VOYEZ ! ELLES SONT PARFAITES !

MAIS... HEIN ?

#20 Le vin ou la cuisine ?

ON DIT TOUJOURS QU'AVEC LES HUÎTRES, ON BOIT DU CHABLIS.

CES HUÎTRES DEVRAIENT ÊTRE PARFAITES AVEC LE VIN...

QUOI ?

C'EST DONC CELA...

VRAI-MENT ?

C'EST IMPOSSIBLE...

ELLES ONT UN ARRIÈRE-GOÛT...

OH ?

C'EST BIZARRE...

QUAND JE LES AI GOÛTÉES, JE N'AI ABSOLUMENT RIEN SENTI...

ENTENDU. ...

NON... AVANT, JE VOUDRAIS CONTINUER LE REPAS ET LA DÉGUSTATION.

DITES-LE-MOI !

QU'EST-CE QUE C'EST ?

JE VOUS APPORTE LE PLAT PRINCIPAL.

QUAND TU AS MANGÉ LA MOUSSE D'OURSINS, TU AS BIEN DIT QUE C'ÉTAIT BON ?

MIYABI...

OUI...

VU SON PRIX, CETTE CUISINE EST VRAIMENT FANTASTIQUE.

QU'EST-CE QUI N'ALLAIT PAS ?

DIS, SHIZU-KU ?

MAIN-TENANT QUE TU LE DIS...

OH !

MAIS J'AVAIS REMARQUÉ QU'À CE MOMENT TU N'AVAIS PAS GOÛTÉ UNE SEULE GORGÉE DE VIN.

ÇA, JE NE SAIS PAS ENCORE.

MAIS OUI, C'EST... C'EST VRAI, MAIS POURQUOI ?

MOI, J'EN AI BU APRÈS AVOIR MANGÉ LA MOUSSE...

SEULEMENT, ENSUITE, J'AI RESSENTI UNE AUTRE SORTE DE MALAISE AVEC LES HUÎTRES...

CE QUE TU AS APPELÉ UN "ARRIÈRE-GOÛT".

ET JE PEUX TE DIRE QUE LA PREMIÈRE GORGÉE DE CE VIN NE M'A LAISSÉ ABSOLUMENT AUCUNE IMPRESSION.

JE PENSAIS QUE ÇA VENAIT DES HUÎTRES, MAIS...

OUI ...

QUOI ?!

JE PENSE QUE CE GOÛT POURRAIT VENIR DU VIN...

NON...

TU SAIS QU'EN PLUS D'UN ŒNOLOGUE, TON PÈRE ÉTAIT RÉPUTÉ COMME CRITIQUE GASTRONO-MIQUE...

JE NE PENSE PAS QU'IL SE SERAIT TROMPÉ DANS UN TEL CHOIX...

OUI ...

C'EST UN PRINCIPE DE LA CUISINE FRANÇAISE ...

M... MAIS, "AVEC DES HUÎTRES, DU CHABLIS"...

JE ME SOUVIENS QUE SUR DES HUÎTRES CRUES, MON PÈRE COMMANDAIT PRESQUE TOUJOURS DU CHABLIS...

MAIS IL Y A BIEN UN HIC...

ISSEI TOMINE L'A IDENTIFIÉ...

C'EST POUR CELA QU'IL N'A PAS TOUCHÉ À CE VIN, JUSTE EN L'AYANT RENIFLÉ.

...

ET LE VERRE DE VIN ?

OH, ÇA A L'AIR BON !

VOICI...

LE SAUTÉ DE RIS DE VEAU ET FOIE GRAS SAUCE MADÈRE.

UN CHAMBOLLE-MUSIGNY DOMAINE ALAIN HUDELOT-NOELLAT 2000.

OUI... LE COORDINATEUR QUI ME L'A RECOMMANDÉ DISAIT LA MÊME CHOSE...

DE PLUS, MÊME PARMI LES BOURGOGNES, LE CHAMBOLLE-MUSIGNY SE CARACTÉRISE PAR SA DÉLICATESSE ET SON ÉLÉGANCE...

JE PENSE QUE C'EST UN VIN SI DÉLICAT QU'IL PEUT SE BOIRE JEUNE...

HUDELOT-NOELLAT... CE DOMAINE PRODUIT DES VINS TRÈS FÉMININS ET DOUX...

AH, LÀ, LÀ...

JE NE SUPPORTE PAS QUE MES EFFORTS AIENT ÉTÉ SI SÉVÈREMENT CRITIQUÉS.

ALORS ?

ET POURTANT, J'AI CHOISI UNE BOUTEILLE DANS LES 3000 YENS*, QUE J'AI ESSAYÉ D'ACCORDER AVEC L'ESPRIT DU PLAT PRINCIPAL...

EN EUROPE, C'EST UN VIN PARTICULIÈREMENT POPULAIRE. MÊME AU JAPON, IL PEUT SE TROUVER POUR UN PRIX MODÉRÉ...

*NDT : environ 18 euros.

EN EFFET, ON RESSENT BIEN SA DÉLICATESSE...

SON BOUQUET TENDRE, COMME CELUI DE PETITES FLEURS, MONTE JUSQU'AU FOND DES NARINES...

C'EST UN VIN TRÈS FIN...

LISANT SEULE DANS UNE CLASSE VIDE...

CELA ME FAIT PENSER À UNE JEUNE FILLE MINCE ET PÂLE...

36

C'EST PEUT-ÊTRE À CAUSE DE LA MAUVAISE QUALITÉ DU MILLÉSIME 2000, FAIBLE EN FRUITS COMME EN TANINS...

L'ACIDITÉ EST ÉGALEMENT UNE CARACTÉRISTIQUE DU DOMAINE...

MAIS JE NE PENSE PAS QUE SOIT ASSEZ POUR LE JUGER MAUVAIS.

JE M'INQUIÈTE DE SA PÂLEUR ET DE SON ACIDITÉ...

...

MAIS LA QUALITÉ DE CE VIN NE JUSTIFIE PAS UNE CRITIQUE SI SÉVÈRE...

CETTE IMPRESSION DOIT SÛREMENT VENIR DU MOMENT OÙ ON LE BOIT AVEC LA NOURRITURE...

FRR

PAS VRAI ?
TOUT LE
MONDE ME
L'A DIT
PENDANT
20 ANS...

C'EST
DÉLICIEUX !

AVEC LE
VIN CHOISI
PAR MA
FEMME.

CE
PLAT ÉTAIT
LE PLUS
COMMANDÉ...

JE
COMPRENDS
LA RÉPUTATION
DE VOTRE
CUISINE,
MONSIEUR
WATANUKI...

AFIN
D'ACCORDER
DE NOUVEAU
LES VINS
AVEC MA
CUISINE.

OUI...
APRÈS SON
DÉCÈS, J'AI FAIT
APPEL À UN
COORDINATEUR
...

MAIS
CELUI QUE VOTRE
DÉFUNTE FEMME
APPORTAIT ÉTAIT
DIFFÉRENT DE
CELUI-CI ?

QUEL
NUL !

IL A
DISPARU
COMME PAR
ENCHANTEMENT.

MAIS
QUAND
NOUS
AVONS
EU DES
ENNUIS...

QUI ME
FAISAIT UN
MEILLEUR
PRIX
QUE LES
AUTRES
FOURNIS-
SEURS.

C'ÉTAIT
UN IMPOR-
TATEUR...

OUI...

AH, VOUS
EN AVIEZ
UN
?

...

UN PROBLÈME ?

OH ?

LES MILLÉSIMES 2000 PASSENT-ILS SI RAPIDEMENT ?

NON... EUH... C'EST JUSTE QUE L'ARÔME DU VIN SEMBLE S'ÊTRE ÉVAPORÉ...

CE N'EST PAS À CAUSE DU VIN EN LUI-MÊME...

NON...

JE NE PEUX PAS DIRE QUE C'EST LA CUISINE...

POUR L'EXPRIMER SIMPLEMENT...

PAS DU TOUT...

ALORS, VOUS DITES QUE C'EST LA CUISINE ?

JE ME SUIS SOUVENU DE MON PÈRE.

TOUT À L'HEURE, EN BUVANT ALORS QUE JE MANGEAIS...

UNE MÉSAL-LIANCE ?

...

OUI.

MAIS MAINTE-NANT, JE CROIS QU'IL M'ENSEI-GNAIT CE QU'ÉTAIT CETTE CUISINE.

À CE MOMENT, J'AVAIS L'IMPRESSION QU'IL FORÇAIT SES GOÛTS SUR MOI...

DES PLATS FRANÇAIS SOPHIS-TIQUÉS AUX PLUS SIMPLES DES EN-CAS...

DEPUIS MON PLUS JEUNE ÂGE, IL M'A FAIT SERVIR BEAUCOUP DE CUISINE OCCIDENTALE,

JE SAIS QUAND TEL VIN ET TEL PLAT SONT INCOMPATIBLES.

EN RÉALITÉ, AU FOND DE MOI, INSTINC-TIVEMENT...

EST-CE À CAUSE DE CES EXPÉ-RIENCES ?

CECI DIT, J'IGNORE COMMENT MAIS LES VINS QUE MON PÈRE BUVAIT ALORS SONT RESTÉS GRAVÉS DANS MA MÉMOIRE...

NON ...

JE ME SOUVIENS AUSSI DE QUELQUES CONVERSATIONS.

MAIS... TU NE BUVAIS QUAND MÊME PAS DU VIN QUAND TU ÉTAIS PETIT ?!

...

ET SURTOUT, J'AI L'IMPRESSION QUE LES BOISSONS QUE MON PÈRE ME FAISAIT SERVIR EN LIEU ET PLACE DE VIN...

ME RACONTENT INDIRECTEMENT SA MANIÈRE DE CONCEVOIR L'ALLIANCE DU VIN ET DES METS.

...

UN
EXEMPLE
...

JE
VAIS
VOUS
DON-
NER...

UN
JOUR...

LE
POISSON
DU
MENU...

N'IMPORTE
QUEL JUS
DE FRUIT
AURAIT FAIT
L'AFFAIRE,
MAIS...

BON, JE
N'ÉTAIS
QU'UN
GOSSE,
ALORS...

ÉTAIT À
CHAIR
BLANCHE,
SERVI AVEC
UNE SAUCE
AU PAMPLE-
MOUSSE.

MON
PÈRE M'A
COMMANDÉ
DU JUS DE
PAMPLE-
MOUSSE...

...

J'AI CRU QUE...

J'AI GOÛTÉ CE VIN, MAIS MÊME AVANT DE LE BOIRE,

SA FRAÎCHEUR ET SON ACIDITÉ ALLÉGERAIENT LA LOURDEUR D'UN PLAT DE VIANDE.

EN SUIVANT CETTE LOGIQUE, JE ME SUIS DIT QUE CE N'ÉTAIT PEUT-ÊTRE...

PAS LA PEINE DE FAIRE EMPORTER LE JUS DE PAMPLE-MOUSSE ?

CE QUE J'AI MANGÉ À L'ÉPOQUE ÉTAIT UN PLAT DE CANARD, VIANDE GRASSE, DANS CETTE MÊME SAUCE MADÈRE SUCRÉE QUE VOTRE PLAT.

CE N'EST PAS DU TOUT CE QUE REPRÉSENTE LE VIN DANS LA CUISINE FRANÇAISE, TU NE CROIS PAS ?

OR ...

CERTES, MAIS C'EST POUR EN NETTOYER LE GOÛT...

PAS POUR L'APPRÉCIER EN MÊME TEMPS QUE LE PLAT, NON ?

C'EST VRAI... APRÈS UN PLAT JAPONAIS LOURD, ON SERVIRA UN SIMPLE BANCHA*...

*NDT : une des sortes de thé vert, cueilli avec les tiges et fait de feuilles plus grandes et dures, considéré comme de moindre qualité que le sencha.

...

IL ARRIVE MÊME PARFOIS QUE LA CUISINE NE SERVE QU'À APPRÉCIER DAVANTAGE UN VIN MERVEILLEUX !

OUI, TU AS RAISON...

VOUS VOULIEZ QUE L'ON DÉGUSTE CE DESSERT SUCRÉ AVEC DU CAFÉ, NON ?

MON-SIEUR TAWA-NUKI...

OUI...

JE ME SUIS MÉPRIS SUR L'ALCHIMIE ENTRE LE VIN ET LA CUISINE FRANÇAISE.

...

SI C'EST BIEN CELA, J'AI COMMIS DÈS LE DÉPART UNE GROSSIÈRE ERREUR.

QUAND CE ISSEI TOMINE M'A DEMANDÉ POURQUOI IL N'Y AVAIT PAS DE VERRE DE VIN AVEC LE DESSERT...

LE PLAT ET LA BOISSON ÉTANT TOUS LES DEUX TRÈS SUCRÉS...

C'EST POUR CELA QUE J'AVAIS PRÉPARÉ UN CAFÉ LÉGER...

HEIN
?

VOILÀ, C'ÉTAIT LE POINT CRUCIAL.

C'EST L'EXPLICATION QUE J'AI DONNÉE.

DANS LA CUISINE FRANÇAISE, UNE BOISSON NE DOIT PAS FAIRE DISPARAÎTRE LA PERSONNALITÉ D'UN PLAT.

AU CONTRAIRE, ELLE DOIT LE METTRE EN VALEUR...

ET C'EST SURTOUT VRAI POUR LE VIN.

...

COMMENT ÇA, LE METTRE EN VALEUR ?

#21 *Père et fille*

MON PÈRE APPELAIT CETTE ALLIANCE ENTRE LE VIN ET LES PLATS...

JE ME SOUVIENS, MAINTENANT...

...

UN MARIAGE.

AU CONTRAIRE, ELLE DOIT LE METTRE EN VALEUR.

DANS LA CUISINE FRANÇAISE, UNE BOISSON NE DOIT PAS FAIRE DISPARAÎTRE LA PERSONNALITÉ D'UN PLAT...

ET C'EST SURTOUT VRAI POUR LE VIN.

MAIS NE BUVANT PAS D'ALCOOL, JE CRAINS DE NE PAS M'EN ÊTRE ASSEZ SOUCIÉ.

...

J'AURAIS DÛ CONNAÎTRE CETTE EXPRESSION...

UN MARIAGE...

OUI, C'EST BIEN CELA.

SE SOUTENIR L'UN L'AUTRE...

HÔPITAL

...

DÉSOLÉE...

TU AS RAISON...

MAIS MOI, JE NE SAIS RIEN FAIRE D'AUTRE QUE LA CUISINE...

MÊME HOSPITALISÉE POUR SON CANCER, MA FEMME AVAIT EMPORTÉ LA LISTE DES VINS...

ET QUAND JE LUI RENDAIS VISITE, ELLE S'INQUIÉTAIT TOUJOURS DE CE QU'IL Y AVAIT AU MENU...

QUAND CET ŒNOLOGUE M'A CRITIQUÉ, JE L'AI PRIS COMME UNE ACCUSATION ET J'AI ÉTÉ DÉGOÛTÉ...

VOTRE FEMME COMPRENAIT BIEN LA SIGNIFICATION DU MOT MARIAGE, N'EST-CE PAS ?

QUELLE HONTE...

JE N'AI MÊME PAS ESSAYÉ DE VOIR CE QUI N'ALLAIT PAS CHEZ MOI...

PEUT-ÊTRE, MAIS MOI...

ET CONCENTRONS-NOUS LÀ-DESSUS !

ESSAYONS DE CRÉER UN MARIAGE QUI EN METTRA PLEIN LA VUE À ISSEI TOMINE...

!

N'Y PENSEZ PAS POUR L'INSTANT...

OUI... C'EST VRAI.

ET EN T'ÉCOUTANT, SHIZUKU, IL M'EST VENU UNE IDÉE.

À LA BASE, UN MARIAGE CONSISTE À ALLIER LES MÊMES SAVEURS ET LES MÊMES ARÔMES, C'EST BIEN ÇA ?

...

ET CE GÂTEAU AU CHOCOLAT...

À LA CARTE, J'AI UN DESSERT À LA FRAISE ET À LA CANNEBERGE...

PA... PAR EXEMPLE ?

DANS CE CAS, IL SERA ASSEZ FACILE DE TROUVER UN VIN DE DESSERT.

LE SUCRÉ T'INSPIRE, ON DIRAIT...

HUM

AU COURS DE LA FERMENTATION, ON AJOUTE UN BRANDY À PLUS DE 70° D'ALCOOL, CE QUI FINALEMENT...

OUI...

UN PORTO, C'EST UN VIN DU PORTUGAL, C'EST ÇA ?

JE VOIS, JE VOIS...

DONNE UN VIN OÙ SONT PRÉSENTS LA DOUCEUR DU RAISIN ET LE GOÛT DE FRUITS.

AU FAIT, ET CE VIN BOTRYTISÉ QUE L'ON A BU L'AUTRE JOUR...

AH !

JE VOIS, JE VOIS...

SI ON LE PROPOSE AU VERRE, JE PENSE QU'ON POURRA EN TROUVER UN PLUTÔT BON.

LE YQUEM, C'EST ÇA ?

LES TRUFFES FAISAIENT MÊME PASSER LE LÉGER GOÛT DE BOUCHON... ♡

IL SE MARIAIT VRAIMENT BIEN AVEC LE CHO-COLAT !

MAIS ON POURRA TROUVER DES VINS BOTRYTISÉS TRÈS ABORDABLES, SI VOUS N'ÊTES PAS FIXÉ SUR LES SAUTERNES.

UN YQUEM EST TROP CHER, PAS LA PEINE D'ESSAYER...

JE VOIS, JE VOIS...

COMME JE VOUS L'AI DIT, LE BOIRE AVEC CE PLAT NE FAIT QU'EN RÉVÉLER L'ACIDITÉ...

ET ON PERD PRESQUE TOUTE LA DÉLICATESSE DU VIN.

ET QU'EN EST-IL DU BOURGOGNE QUE J'AI SERVI AVEC LE SAUTÉ DE RIS DE VEAU ET DE FOIS GRAS ?

C'EST UN PEU COMME MARIER UNE DÉLICATE INTELLECTUELLE AVEC UN CAPITAINE D'ÉQUIPE DE FOOT...

ASSOCIER UN PRÉCIEUX VIN DE BOURGOGNE AVEC UNE VIANDE RICHE EN SAUCE MADÈRE...

56

QUEL VIN AURAIT ASSEZ DE PERSONNALITÉ, À TON AVIS ?

MIYABI ...

C'EST ÇA !

OUH... ÇA SENT LA RUPTURE !

AVEC UN HOMME AUSSI FORT, IL VAUT MIEUX UNE FEMME À LA FORTE PERSONNALITÉ...

DE TÊTE, COMME ÇA...

EUH...

!

JE N'Y CONNAIS PAS GRAND-CHOSE EN VINS...

C'EST QUE...

EUH, ON SE CALME.

QUELS VINS VOTRE FEMME CHOISISSAIT-ELLE ?

MONSIEUR WATANUKI ...

...

ATTENDEZ UN INSTANT.

AH !

IL A UNE FILLE ?

OUI...

MAIS DANS LES OBJETS HÉRITÉS DE SA MÈRE, MA FILLE GARDE LA LISTE DES VINS...

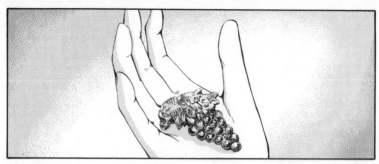

DR
II
NG

...

...

QUOI
?

SUZUKA, TU
AS BIEN LA
LISTE DES VINS
DRESSÉE PAR
TA MÈRE ?

ET ON
VOUDRAIT
LA PRENDRE
COMME
RÉFÉRENCE...

ON EST
EN TRAIN DE
CHERCHER
DES VINS
S'ALLIANT
À MA
CUISINE...

IL Y A DES
CONNAISSEURS
VENUS AU
RESTAURANT
...

OUI, MAIS
POURQUOI
?

CLANG

!!

JE M'APPELLE SHIZUKU KANZAKI, DU DÉPARTEMENT VINS DES BIÈRES TAIYO...

L'AUTRE JOUR, JE NE ME SUIS PAS PRÉSENTÉ...

AH, BONJOUR !

...

SI TU LAISSAIS TOMBER, PAPA.

OH...

TU L'AS AMENÉE.

HEIN ?

TU NE COMPRENAIS RIEN AUX SENTIMENTS DE MAMAN !

ET TOI, ALORS ?!

C'EST POUR ÇA QUE TU AS NÉGLIGÉ LES VINS QU'ELLE S'EST ÉVERTUÉE À DÉNICHER JUSQU'À SA MORT !

ET EN PLUS, TU T'ES FAIT AVOIR PAR UN TYPE QUI NE PENSAIT QU'À L'ARGENT ET T'A FAIT METTRE DES VINS TROP CHERS AU MENU...

!

UN PETIT INSTANT !

ET À CAUSE DE ÇA...

ÇA SUFFIT ! SORS, OU BIEN...

HÉ, DIS, TOI !

QUE VOTRE FEMME A ACHETÉ ?

OÙ EST CE VIN...

MON-SIEUR WATA-NUKI...

ALLONS VOIR !

S'ILS ÉTAIENT AU SOUS-SOL, ILS DOIVENT ÊTRE INTACTS...

EH, DE QUOI JE ME MÊLE ?!

ALORS ILS SONT DANS LE CELLIER, AU SOUS-SOL.

AH... IL Y EN AVAIT TROP POUR LA CAVE...

MAIS CELA FAIT DEUX ANS...

SONT-ILS ENCORE BUVABLES ?

CHATEAU DE SAINT COSME

CHATEAU DE SAINT COSME

C'EST SUZUKA, TON NOM ?

SI CELA CONTINUE AINSI, SON RESTAURANT VA FERMER.

J'IGNORE POURQUOI TU EN VEUX TELLEMENT À TON PÈRE, MAIS...

...

L'HOMME QUI EST À L'ORIGINE DE CETTE CHUTE REVIENT LUNDI.

ÇA ME REGARDE...

PARCE QUE, TU VOIS...

ÇA VOUS REGARDE ?!

ET EN QUOI...

JUSQUE-LÀ...

À CAUSE DE CET ISSEI TOMINE...

J'AI PERDU MA MAISON.

OÙ IL EST, CE CELLIER ?

BEN TU VOIS, ON VA POUVOIR TRAVAILLER ENSEMBLE.

EUH... JE CROIS...

VOUS ÊTES SÛRE QUE ÇA VA ALLER ?

HEIN ?

CHATEAU DE SAINT COSME

Volal Fama

Par uslan

GIGONDAS

C'EST DU CÔTES-DU-RHÔNE.

ALORS, MIYABI ?

VOILÀ, CE SONT CES CARTONS.

ET DONC, PUISQUE SON CÉPAGE PRINCIPAL EST SOIT LE GRENACHE, SOIT LA SYRAH...

JE PENSE QU'IL S'EST BIEN CONSERVÉ, CONTRAIREMENT À UN BOURGOGNE, PRODUIT DU DÉLICAT PINOT NOIR.

SCRATCH

C'EST DANS LE SUD DE LA FRANCE, HEIN ?

LE RHÔNE...

ET J'EN AI SOUVENT BU.

PAR CONTRE, ON SERT PAS MAL DE PRODUITS DE GUIGAL OU CHAPOUTIER, DES PRODUCTEURS CÉLÈBRES...

ON EN TROUVE PEU AU JAPON...

HUM... NON...

ALORS JE NE M'Y CONNAIS GUÈRE EN CRUS DU RHÔNE.

SAINT COSME

200

RS-DU-R HONE

TU LE CONNAIS, CE VIN-LÀ ?

AVEC MES SPÉ- CIALITÉS AUSSI ?

EN FAIT, À PEU PRÈS AVEC TOUTES LES VIANDES... MAIS SURTOUT LE GIBIER OU LE MOUTON...

ILS SONT PUIS- SANTS ET ÉPICÉS...

BEAUCOUP SONT CHERS, MAIS PAS MAL ONT REÇU PRÈS DE 100 POINTS PAR LE CRITIQUE ROBERT PARKER JR.

AVEC CES VINS-LÀ, C'EST DU PILE OU FACE...

JE NE PEUX LE DIRE SANS L'AVOIR BU...

AVEC QUELS PLATS S'ACCOR- DENT-ILS ?

...

J'EN PRENDS UNE.

!

EH BIEN ?
TU NE LE BOIS PAS ?

POC

SNIF

QU'IL EST CONCENTRÉ ! ON DIRAIT DE L'ENCRE !

SHIZUKU KANZAKI ? KANZAKI...

NE ME DITES PAS QUE...

HEIN ?

ATTENDONS UNE DEMI-HEURE.

JE NE SAIS PAS POURQUOI, MAIS J'AI L'IMPRESSION QU'UN DIEU ME LE MURMURE AU CREUX DE L'OREILLE...

LE DIEU BACCHUS, QUI DEMEURE DANS CE VIN.

...

#21 Fin

#22 *Le réveil du dieu passionné*

IL A DÉCIDÉ D'ATTENDRE SUR UNE INTUITION, MAIS IL Y A DE LA CONVICTION DERRIÈRE SES MOTS...

YUTAKA KANZAKI PEUT ÊTRE FIER DE L'INSTINCT DE SON FILS.

...

HEIN ?

SAVEZ-VOUS COMBIEN A COÛTÉ CE VIN ?

MON-SIEUR WATA-NUKI...

MAIS...

MA FEMME AVAIT DÛ LE PRENDRE COMME VIN MAISON, À VENDRE AUSSI AU VERRE, DONC JE NE PENSE PAS QU'IL ÉTAIT TRÈS...

AH, EUH... COM-BIEN...

1000* YENS.

*NDT : environ 6 euros.

C'EST TRÈS BON MARCHÉ...

MAIS ALORS, NE VAUDRAIT-IL PAS MIEUX LE BOIRE DÈS L'OUVERTURE ?

SON PRIX D'IMPORTATION EST DE 1000 YENS, CHEZ UN CAVISTE CE SERA DANS LES 1600*, JE PENSE...

HEIN ?

*NDT : environ 10 euros.

JUSTE UN PEU...

LE CÉPAGE SYRAH, REPRÉSENTATIF DES VINS DU RHÔNE, TRANSPARAÎT CLAIREMENT DANS CELUI-CI !

IL A UN BOUQUET UNIQUE, TRÈS ÉPICÉ, QUI SE DÉGAGE SI FORTEMENT QU'IL TOURNE UN PEU LA TÊTE...

OH, QUELLE FORCE !

IL EST TROP TÔT POUR EN JUGER.

HEIN ?

...

IL A DE LA PERSONNALITÉ, C'EST SÛR. MAIS LE TROUVER BON...

C'EST SANS DOUTE PARCE QU'IL EST BON MARCHÉ...

ET TOUS LES ÉLÉMENTS DE SON BOUQUET ET DE SON ARÔME LAISSENT UNE IMPRESSION DÉSORDONNÉE.

MAIS IL A L'AIR PIQUANT ET UN PEU AUSTÈRE...

SURTOUT QUAND UN VIN À 2000 OU 3000 YENS PEUT EN DÉPASSER UN FAISANT DIX FOIS SON PRIX...

QU'UN VIN SOIT MAUVAIS OU BON MARCHÉ NE SE DÉCIDE PAS SI SIMPLEMENT.

SHIZUKU L'A VU TOUT DE SUITE, ALORS S'IL A REMARQUÉ QUELQUE CHOSE DANS CE VIN-CI...

ÉTAIT SUPÉRIEUR À L'OPUS ONE 2000, CE VIN AMÉRICAIN SI RÉPUTÉ...

C'EST UN FAIT QU'AU "MONOPOLE", LE MONT-PÉRAT 2001 QUI VAUT DANS LES 2000 YENS*...

IL N'A PAS TORT...

...

*NDT : environ 12 euros.

IL RESTE 20 MINUTES...

...

ᛒᗕᛈ
TAC

TIC
ᛒᗕᛈ

IL SE PASSE SÛREMENT DES CHOSES DANS CE VIN...

ᛒᗕᛈ
TIC

Ô, DIEU DU VIN...

SI JAMAIS TU ES VRAIMENT LÀ, ÉCLAIRE-MOI...

SUR LA VÉRITABLE NATURE DE CE BREUVAGE...

...

CELA VA FAIRE 30 MINUTES...

RÉVEILLE-TOI...

BACCHUS !

MAIS
JE SUIS
À...

BALI
?

LA CHALEUR MOITE ET LES ÉCHOS DE MUSIQUE QUI RÉSONNENT...

LES VOIX LANCINANTES...

OUI...
C'EST UNE NUIT
SUR CETTE ÎLE
ÉTRANGE OÙ PAPA
M'A EMMENÉ
UN JOUR...

LES ARÔMES SUCRÉS, ETHNIQUES, ET PRIMAIRES QUI FLOTTENT DANS L'AIR...

DE CETTE NUIT PROFONDE...

SOUS MES YEUX, DES PLATS DE VIANDE ET DES FRUITS FRAIS...

COLORÉS PAR MILLE COULEURS D'ÉPICES...

CASSIS, PRUNE, MÛRE, ET UN ZESTE D'ORANGE...

78

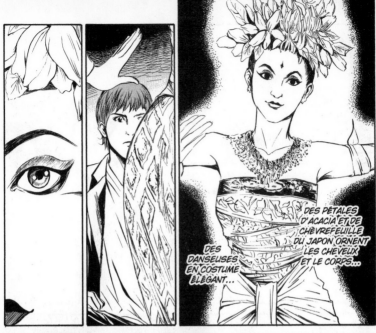

DES PÉTALES D'ACACIA ET DE CHÈVREFEUILLE DU JAPON ORNENT LES CHEVEUX ET LE CORPS...

DES DANSEUSES EN COSTUME ÉLÉGANT...

TU AS DIT QUE CE VIN COÛTAIT 1000 YENS ?

...

SHIZUKU ?

ET ALORS ?

L'A JUSTE LAISSÉ DANS LE CELLIER.

PAPA, INCAPABLE D'ENVISAGER L'AVENIR...

OUI, C'EST UN VIN QU'ELLE A TROUVÉ LORS DE SA MALADIE...

CE CÔTES-DU-RHÔNE, CHÂTEAU DE SAINT COSME "LES DEUX ALBION" 2001...

EST UN VIN INCROYABLE !

SAINT COSME
2001
"LES DEUX ALBION"
CÔTES-DU-RHONE
APPELLATION CÔTES D...

DE MANIÈRE REMARQUABLEMENT CONVAINCANTE !

LES ARÔMES SE SONT HARMONISÉS...

M... MAIS...

AH, J'EN VEUX AUSSI...

JE LE SAVAIS !

QUE VOUS NE TROUVERIEZ PAS DE MEILLEUR VIN S'ACCORDANT À VOTRE CUISINE !

ET DE PLUS...

VOUS POURRIEZ PAYER UNE FORTUNE...

MONSIEUR WATANUKI,

HEIN ?

LES VINS DE MAMAN ONT TOUJOURS RÉALISÉ LES MEILLEURS MARIAGES AVEC LA CUISINE DE PAPA !

TU NE PEUX PAS TENIR SEUL CE RESTAURANT.

BON, DE TOUTE FAÇON, TOI QUI N'Y CONNAIS RIEN AU VIN...

C'EST MON AVIS, VOILÀ !

VLAN

POUR LE PLAT PRINCI-PAL !

EN TOUT CAS, ON A TROUVÉ LE VIN...

MIYABI ?

COMMENT SUZUKA CONNAÎT-ELLE LE TERME "MARIAGE" ?

OUI...

ET DONC, LA DERNIÈRE DIFFICULTÉ EST DE TROUVER UN CHABLIS POUR LES DEUX HORS-D'ŒUVRE...

OUI...

MAIS EN RÉFLÉCHISSANT À CES HISTOIRES DE MARIAGE DE LA CUISINE FRANÇAISE, J'AI COMPRIS QUELQUE CHOSE POUR LE PREMIER.

PEUT-ÊTRE QU'ELLE...

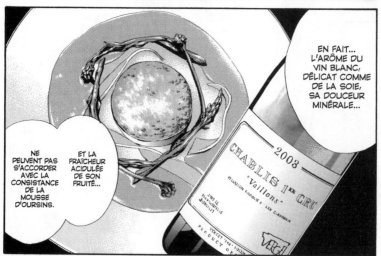

EN FAIT... L'ARÔME DU VIN BLANC, DÉLICAT COMME DE LA SOIE, SA DOUCEUR MINÉRALE...

NE PEUVENT PAS S'ACCORDER AVEC LA CONSISTANCE DE LA MOUSSE D'OURSINS.

ET LA FRAÎCHEUR ACIDULÉE DE SON FRUITÉ...

2003

CHABLIS 1ᴱᴿ CRU

"Vaillons"

ALORS, QUE PENSEZ-VOUS DE CECI ?

J'AI BÊTEMENT ASSOCIÉ LE FRUIT DE MER AU BLANC, VOILÀ MON ERREUR.

SANS DOUTE, OUI...

POUR CE PLAT, MIEUX VAUT UN ROUGE QU'UN BLANC, NON ?

EN SERVANT LES HUÎTRES JUSTE APRÈS LE VERRE DE VIN BLANC.

APRÈS-DEMAIN, QUAND ISSEI TOMINE REVIENDRA, ON CHANGERA L'ORDRE DES PLATS,

UN VERRE DE ROUGE AVEC LA MOUSSE D'OURSINS.

ET DÈS QU'IL AURA FINI...

SI J'AVAIS PENSÉ À ÇA DÈS LE DÉBUT...

JE VOIS...

IL S'ACCORDERA BIEN AVEC LA CONSISTANCE DE LA MOUSSE.

COMME LE ROUGE EST AU DÉPART ASSEZ ACIDE, AVEC UN GOÛT TRÈS PRONONCÉ,

BIEN SÛR !

HUM.

ELLE S'OCCUPAIT SANS DOUTE AUSSI DE CES HARMONIES...

QUAND MA FEMME ÉTAIT VIVANTE,

C'EST ÇA !

...

QUELLE PITIÉ !

JE NE M'EN ÉTAIS MÊME PAS RENDU COMPTE...

JE PENSAIS ÊTRE LE SEUL À M'OCCUPER DU RESTAURANT...

MONSIEUR WATANUKI...

OUI, VOUS AVEZ RAISON.

ET METTRE AU POINT LES MARIAGES POUR CE RESTAU- RANT...

AFIN DE NE PAS RENDRE INUTILES LES EFFORTS DE VOTRE FEMME, IL FAUT VOUS BATTRE...

BON, PASSONS AU DERNIER PROBLÈME, CELUI DU MARIAGE DES HUÎTRES ET DU VIN BLANC !

C'EST SANS DOUTE CE QU'ELLE AURAIT VOULU...

ET EN EFFET, MON PÈRE LE FAISAIT SOUVENT...

MIYABI, TU AS DIT QU'IL ÉTAIT DE BON TON D'ALLIER HUÎTRES ET CHABLIS...

DE MÊME, J'AI EU L'IMPRESSION QU'ELLES TROUBLAIENT LE GOÛT DU VIN.

NE FAIT QUE SOULIGNER L'ARRIÈRE- GOÛT DES HUÎTRES.

MALGRÉ TOUT, LE CHABLIS QUE MONSIEUR WATANUKI A SERVI AU VERRE...

ET DONC,
LES HUÎTRES
CRUES ET CE
CHABLIS...

NE
S'ACCORDENT
ABSOLUMENT
PAS.

2003
CHABLIS 1ᴱᴿ CRU
"Vaillons"
APPELLATION CHABLIS 4ᵉ CRU CONTRNE

ELVEIL ET
MISE BOUTEILLES
PAR VERGET

VERGET 71919 SOLOGNA
PRODUCT OF FRANCE

QUAND
IL S'AGIT DE
MARIER LE VIN
À VOTRE CUISINE,
LE PLUS CHER
N'EST PAS
FORCÉMENT
LE MIEUX.

C'EST
COMME LE
CHÂTEAU
DE SAINT
COSME...

IL EST
POURTANT
CENSÉ ÊTRE
DE HAUTE
QUALITÉ...

MAIS ENFIN, DU CHABLIS C'EST DU CHABLIS !

JE CROYAIS QUE LES VINS TIRAIENT LEURS CARACTÉRISTIQUES DE LEUR TERROIR ?

SI CELUI-CI NE VA PAS, ALORS LES AUTRES NON PLUS...

LE MEURSAULT OU LE PULIGNY-MONTRACHET, PRODUITS À PARTIR DU CHARDONNAY, LE MÊME CÉPAGE QUE LE CHABLIS...

POSSÈDENT LEURS PROPRES CARACTÉRISTIQUES...

JE NE CONNAIS PAS ENCORE BIEN...

LES VINS BLANCS, MAIS...

ET J'AI ENTENDU DIRE QU'ON FAISAIT À PEU PRÈS LES MÊMES MARIAGES AVEC CES VINS D'UNE MÊME RÉGION...

MÊME S'IL Y EN A DES BONS ET MOINS BONS, SELON LE PRODUCTEUR...

CE QU'IL FAUT FAIRE, C'EST BOIRE !

C'EST EN FORGEANT QU'ON DEVIENT FORGERON...

ET C'EST PAREIL POUR LE VIN.

ÇA NE SERT À RIEN DE SE CREUSER LA TÊTE !

#23 Chablis et huîtres

C'EST EN FORGEANT QU'ON DEVIENT FORGERON...

ET C'EST PAREIL POUR LE VIN.

IL NOUS FAUT BOIRE DU CHABLIS !

AINSI, ON VERRA SI VRAIMENT...

OU SI CE N'EST QU'UNE LÉGENDE !

IL SE MARIE BIEN AVEC LES HUÎTRES...

JE SUIS AU BORD DE LA BANQUEROUTE...

MAIS ÇA VA NOUS COÛTER UN BRAS, NON ?

JE DOIS METTRE DU PLASTIQUE SUR MES NAPPES...

BOUH...

D'ACCORD !

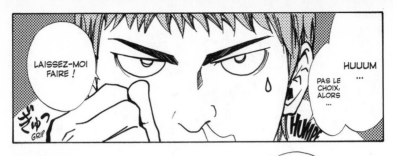

LAISSEZ-MOI FAIRE !

GRIP

HUUUM ...

PAS LE CHOIX, ALORS ...

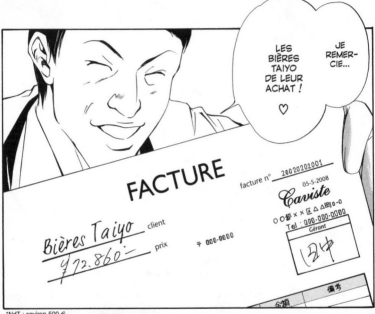

JE REMER-CIE...

LES BIÈRES TAIYO DE LEUR ACHAT !

♡

FACTURE

facture n° 20020202001

05-5-2008

Caviste

Bières Taiyo client

¥72.860.- prix

〒 000-0000

○○都×× 区△△街0-0

Tel : 000-000-0000

Gérant

*NdT : environ 500 €.

ALLEZ, BUVONS !

OH QUE NON...

NON ...

C'EST SANS PROBLÈMES ?

EN... ENTEN- DU...

MONSIEUR WATANUKI, VOTRE BOULOT, C'EST LES HUÎTRES !

SHIZUKU, T'ES PAS SÉRIEUX...

POF ガッチャ

TU ACHÈTES AUX FRAIS DE L'ENTREPRISE SANS L'ACCORD DU CHEF !

BAH, JE M'EN SORTIRAI...

TU ES VRAIMENT SÛR DE TOI ?

MÊME MOI QUI M'Y CONNAIS PEU EN CHABLIS, JE SAIS QU'IL EXISTE 20 DOMAINES CÉLÈBRES.

CE QUE VOUS AVEZ SERVI À ISSEI TOMINE ÉTAIT UN VERGET PREMIER CRU...

MAIS TOUS LES PRODUCTEURS N'AYANT PAS DE VIGNOBLES DE CETTE CATÉGORIE, J'AI PARFOIS CHOISI UN CRAN AU-DESSOUS.

ALORS J'AVAIS L'INTENTION DE M'EN TENIR À CE NIVEAU...

COMMENÇONS PAR GOÛTER LES PREMIERS CRUS.

BON, ON VERRA...

LE PLUS CONNU, C'EST...

MIYABI...

SI ISSEI TOMINE A SNOBÉ UN PREMIER CRU...

IL NE RISQUE PAS DE JETER UN REGARD AUX AUTRES.

POUR CEUX-LÀ, C'EST PAS LA PEINE...

...

LE PRIX EST UN PEU ÉLEVÉ POUR L'APPELLATION, MAIS LEUR VIN, EXTRÊMEMENT FRUITÉ ET À VIEILLISSEMENT LONG...

EST PLEIN DE CETTE SENSATION MINÉRALE TYPIQUE DU CHABLIS !

♡

WAAA...

AH BON...

GLOU GLOU

HOU-LÀ, J'AI PEUR...

HÉ, HO, MIYABI...

AH ! JE TE TIENS ! DÈS QU'ON TE DIT QUE C'EST CHER, TU REMPLIS BIEN TON VERRE !

CE DOIT ÊTRE LE FRANÇOIS ET JEAN-MARIE RAVENEAU...

ILS SONT EXTRÊME-MENT RÉPUTÉS DANS LA RÉGION.

Chablis Premier Cru

Montée de Tonnerre

APPELLATION CHABLIS PREMIER CRU CONTRÔLÉE

PRODUIT DE FRANCE

12% Vol

Mis en bouteilles à la propriété

DOMAINE FRANÇOIS RAVENEAU A CHABLIS

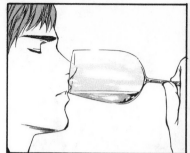

C'EST LA PREMIÈRE FOIS QUE JE BOIS UN CHABLIS AUSSI BON !

OH... DÉLICIEUX... ♡

HUM...

JE SUIS UN PEU SURPRIS.

C'EST VRAI QUE SON ARÔME EST PROCHE DU CHABLIS VERGET DE TOUT À L'HEURE, MAIS POUR LE FRUITÉ, C'EST DÉCIDÉMENT CELUI-CI LE MEILLEUR.

IL EST BIEN PLUS FRUITÉ ET SOLIDE QUE LE MEURSAULT, LÀ, QUE M. FUJIEDA NOUS A FAIT GOÛTER.

ALORS... JE COMPRENDS POURQUOI...

CELLE-CI EST SOUVENT EXPRIMÉE PAR COMPARAISON AVEC DU SILEX.

EH OUI, LE CHABLIS, C'EST DU CHABLIS !

QUOIQUE, DANS LES DEUX, ON SENT VRAIMENT CET ARRIÈRE-GOÛT MINÉRAL...

AUTREFOIS... MON PÈRE M'AVAIT FAIT LÉCHER DU SILEX,

WOW!

LA MINÉRALITÉ EST SA CARACTÉRISTIQUE.

PAQ GNAP

UN CHABLIS AUSSI BON DOIT ÊTRE PARFAIT AVEC ELLES...

ALORS, VOYONS AVEC LES HUÎTRES.

BON...

LE VIN ET LES HUÎTRES NE PEUVENT DONC JAMAIS S'ACCORDER ?

ALORS, ÇA NE MARCHE PAS ?

OUI...

ET IL SE RESSENT ENCORE PLUS QU'AVEC LE VERGET.

RATÉ, IL Y A UN GOÛT.

...

MAIS SI, CE DOIT ÊTRE POSSIBLE !

JE ME RÉPÈTE, MAIS MON PÈRE BUVAIT VRAIMENT LES HUÎTRES AVEC DU CHABLIS...

NOUS L'AVONS COMMANDÉ SPÉCIALEMENT EN PRÉVISION DE VOTRE VISITE.

QUE DIRIEZ-VOUS DE CE CHABLIS, MAÎTRE KANZAKI ?

CETTE ÉTIQUETTE...

OH, ATTENDEZ...

QUAND LE MAÎTRE D'HÔTEL LUI A SUGGÉRÉ CE VIN, MON PÈRE A CHANGÉ SA COMMANDE !

ET C'ÉTAIT CE RAVENEAU !

HEIN ?

AUCUN DOUTE ! JE M'EN SUIS SOUVENU EN VOYANT L'ÉTIQUETTE !

MAIS ALORS...

MAIS IL A CHANGÉ POUR DES MEUNIÈRE APRÈS AVOIR VU CE VIN !

CE JOUR-LÀ, MON PÈRE AVAIT COMMENCÉ PAR COMMANDER DES HUÎTRES CRUES...

GENRE, MÊME UN PICHET...

OUI... MAIS ATTEN-DEZ...

IL A D'ABORD DEMANDÉ UN CHABLIS MEILLEUR MARCHÉ, JE CROIS...

MAÎTRE KANZAKI PENSAIT LUI AUSSI QU'IL NE SE MARIAIT PAS BIEN AVEC LES HUÎTRES ?!

QUEL EST LE VIN DE MOINDRE QUALITÉ, PARMI CEUX-CI ?

MIYABI !

SI ÇA SE TROU-VE...

BIEN SÛR, LES VILLAGES... CELUI À DROITE N'EST PAS TRÈS CHER, MAIS...

...

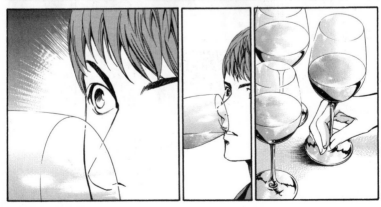

VOILÀ !

ALORS, C'EST DONC ÇA !

EUH...

MÊME SI VOUS NE L'AVALEZ PAS, GOÛTEZ JUSTE UNE GORGÉE AVEC UNE HUÎTRE !

S'IL VOUS PLAÎT.

BIEN, ENTEN-DU.

ET SI VOUS VOULEZ BIEN, VOUS AUSSI, MONSIEUR TAWANUKI !

ESSAYE-LE SUR LES HUÎTRES, MIYABI !

HEIN ?

C'EST VRAI QU'IL N'Y A AUCUN ARRIÈRE-GOÛT !

ON RESSENT LA SAVEUR DES HUÎTRES COMME CELLE DU VIN À LEUR MAXIMUM !

MAIS C'EST DÉLICIEUX !

CE VIN ÉLIMINE L'ARRIÈRE-GOÛT ET EN PLUS, IL SOULIGNE LE CORPS CRÉMEUX ET L'ARÔME IODÉ DES HUÎTRES...

ÇA ME DONNE ENVIE D'ESSAYER !

MOI QUI NE PEUX BOIRE D'ALCOOL...

QUI GAGNE EN RONDEUR ET EN PROFONDEUR...

PENDANT QUE CELLES-CI RENFORCENT ENCORE LA MINÉRALITÉ DU VIN...

OUI...

C'EST DONC CELA, LE CHABLIS AVEC LES HUÎTRES !

C'EST VRAIMENT...

UN MARIAGE !

MAIS SI ON PENSE AUX ACCORDS AVEC LES PLATS...

LE BON CHOIX EST UN CHABLIS VILLAGE, C'EST CERTAIN.

ET AUSSI AU VERGET QUE VOUS AVIEZ SERVI À TOMINE, CELUI-CI EST BIEN PLUS ORDINAIRE...

C'EST SI ÉTRANGE...

BIEN SÛR, COMPARÉ AU RAVE-NEAU...

C'EST VRAI QUE SI L'ON SE FIE À L'ÉTIQUETTE, LES DEUX AUTRES ÉTAIENT BIEN SUPÉRIEURS...

IL NE FONT QUE RENFOR-CER LEUR ARRIÈRE-GOÛT.

ET CES CHABLIS-LÀ NE SE MARIENT PAS AVEC LES HUÎTRES.

POUVAIENT PARFOIS FAIRE PENSER AU MEURSAULT PAR LA RICHESSE DE LEUR FRUITÉ ET LEUR FORT ARÔME D'ÉCORCE FUMÉE...

LES CHABLIS PREMIER CRU ET COÛTEUX QUE L'ON VIENT DE BOIRE...

VIEN-NENT DE CES "NOU-VELLES CUVES" SI À LA MODE.

LES CHABLIS DE GRANDS VIGNOBLES, TRÈS FRUITÉS ET CON-CENTRÉS...

EN FAIT...

EN RÉSUMÉ, CETTE NUANCE DE BOIS FUMÉ MENTIONNÉE PAR SHIZUKU VIENT DE CES CUVES...

QUI CORSENT LE BOUQUET ET L'ARÔME DE CES CHABLIS.

NON SEULEMENT CES DERNIERS ANNIHILENT LA SAVEUR DES HUÎTRES, MAIS ILS FONT EN PLUS RESSORTIR CE QU'ELLES PEUVENT AVOIR DE DÉPLAISANT.

SON ACIDITÉ EST PRONONCÉE ET UN PEU PIQUANTE...

EN EFFET...

SON LÉGER ARÔME DE FRUITS SE RENFORCE...

ALORS QU'AU CONTRAIRE, EN BUVANT LE CHABLIS SE MARIANT PARFAITEMENT AVEC ELLES...

HONNÊTEMENT...

CE QUI EST PARFAITEMENT ASSORTI AVEC LES HUÎTRES.

SES CARACTÉRISTIQUES FONT PENSER À DE L'EAU MINÉRALE...

AVEC LES HUÎTRES, C'EST CELUI-CI.

JE PEUX VOUS LE DIRE...

AH, JE VEUX LE SAVOIR !

CES HUÎTRES ET CE CHABLIS ÉTAIENT DESTINÉS À S'UNIR...

POURQUOI ?

DÉLICIEUX... VRAIMENT DÉLICIEUX !

QUEL ACCORD PARFAIT !

SU-ZUKA !

SUZUKA ?

SI OUI, DIS-LE-MOI !

DIS, ALORS TU SAIS POUR-QUOI ?

J'Y ÉTAIS RETOURNÉE, MAIS QUAND VOUS ÊTES ARRIVÉS AVEC TOUS CES VINS, JE SUIS VENUE JETER UN ŒIL.

DEPUIS QUAND ES-TU LÀ ? JE TE CROYAIS DANS TA CHAMBRE...

...

POURQUOI LES HUÎTRES ET LE CHABLIS VONT SI BIEN ENSEMBLE...

24 *Passons aux choses sérieuses...*

DE CECI !

EN FAIT, IL S'AGIT DU TERROIR DU VILLAGE DE CHABLIS...

SURTOUT DU SOL ET...

QUEL RAPPORT AVEC LE MARIAGE PARFAIT DU CHABLIS ET DE L'HUÎTRE ?

LE SOL ET LA COQUILLE D'HUÎTRE ?!

AH ? TU CROIS ?

LE SOL DE CHABLIS ÉTAIT SOUS LA MER ?

ÇA VOUDRAIT DIRE QU'AUTREFOIS...

CAL- CAIRE ?

JE ME DEMANDE SI LA STRUCTURE DU SOL NE SERAIT PAS CALCAIRE...

PAPA LE MENTIONNAIT DANS UN DE SES OUVRAGES...

UN SOL DE STRUCTURE CALCAIRE S'EST BÂTI SUR LES SÉDIMENTS DU PLANCTON ET DE COQUILLAGES FOSSILISÉS...

OUI ...

ET DONC, TOI, TU ÉTUDIES L'ŒNOLOGIE. JE M'EN DOUTAIS.

PARDON ?

PFF !

ALORS, TU ES BIEN UN PARENT DE YUTAKA KANZAKI.

QUOI ? SU... SUZUKA ?

PLUS QUE ÇA, TU TE SPÉCIA- LISES...

SI L'ON CREUSE LA TERRE À CHABLIS, QUI EN EFFET ÉTAIT AUTREFOIS SOUS LES EAUX, ON TROUVE D'INNOMBRABLES COQUILLES D'HUÎTRE...

ET LE CHABLIS EST FAIT À PARTIR DE RAISIN QUI S'EST NOURRI DE CETTE TERRE.

...

DE TOUTE FAÇON...

EN D'AUTRES TERMES, CE SONT LES RETROUVAILLES DE L'HUÎTRE ET DE LA MER, APRÈS DES MILLIONS D'ANNÉES...

C'ÉTAIT DONC CELA...

C'EST LE MARIAGE ULTIME !

LE PREMIER EST CLAIR ET SEC, AVEC UNE MINÉRALITÉ CARACTÉRISTIQUE...

ON PEUT EN CONCLURE QU'IL EN EXISTE DEUX TYPES.

APRÈS AVOIR BU ET ESSAYÉ TANT DE CHABLIS,

ET L'AUTRE, PLUS CONSISTANT, DÉVELOPPE LE BOUQUET ET LES ARÔMES FRUITÉS DE LA POMME, DE L'ANANAS ET DE LA POIRE...

BAH... OUI, C'EST ÇA.

JE PEUX ÊTRE SI FAMILIER ?

C'EST CELA, PETITE SUZUKA ?

CELUI QUI CONVIENT AUX HUÎTRES EST LE PREMIER, LE SEC...

CE QUI EN FAIT RESSORTIR LA CONSISTANCE.

PARMI CE SECOND TYPE, LE RAVENEAU OU LE DAUVISSAT FERMENTENT DANS DES CUVES DE CHÊNE,

PARTICULIÈREMENT POUR LES PREMIERS ET LES GRANDS CRUS. ET ILS NE S'ACCORDENT EN AUCUN CAS AVEC LES HUÎTRES.

ILS POSSÈDENT LA RICHESSE DU FRUITÉ DE VINS DE QUALITÉ COMME LE MEURSAULT, CAR LE RAISIN LE PLUS CONCENTRÉ EST SÉLECTIONNÉ,

QU'UNE MÊME APPELLATION PROPOSE DES VINS SI DIAMÉTRALEMENT OPPOSÉS, C'EST...

SON SEUL BOUQUET PERMETTAIT À UN GOÛTEUR COMME ISSEI TOMINE DE JUGER QU'IL ÉTAIT MAL ASSORTI AVEC LE PLAT.

COMME LE VERGET QUE PAPA A SERVI FAIT PARTIE DE CES CHABLIS...

ALORS QUE MA CHÈRE FEMME LES AVAIT SÉLECTIONNÉS, J'AI...

...

MON PETIT BOULOT M'ATTEND...

SI TU TÂCHAIS DE BIEN FAIRE ?

BON, EH BIEN CETTE FOIS-CI...

TU VOIS, T'AS DEVINÉ TOUT SEUL...

SUZU-KA !!

...

TU REVIENS TOUJOURS EN SENTANT L'ALCOOL...

TU N'ES PAS HÔTESSE, QUAND MÊME ?

ATTENDS, SUZUKA...

OÙ TRAVAILLES-TU ?

... ... AH, LÀ, LÀ...

AH BON ?

JE VOUDRAIS FAIRE QUELQUES MODIFICATIONS DANS LES PLATS.

UNE CHOSE DE PLUS...

LES INGRÉDIENTS... ET LE VIN DE DESSERT.

BON, ON REPREND COURAGE ET ON PRÉPARE TOUT POUR LUNDI !

J'AI UNE IDÉE...

MAIS J'AI BESOIN DE VOTRE AIDE.

AH... EUH...

MAIS SINON, ON NE POURRA PAS LE SURPRENDRE.

VOUS N'AVEZ PAS BESOIN DE CHANGER BEAUCOUP CE QUE VOUS AVEZ SERVI À ISSEI,

POUR RÉUSSIR UN PARFAIT MARIAGE ENTRE LES METS ET LES VINS...

JE PENSE QU'IL FAUDRA RAJOUTER UN PETIT QUELQUE CHOSE.

ET ENCORE UNE CHOSE...

115

JE PENSE QUE MÊME RÉUSSIR LE PARFAIT MARIAGE...

NE SERA PAS SUFFISANT.

MAIS CE SERA À VOUS DE DÉCIDER.

JE VAIS VOUS EN DONNER L'OCCA- SION...

QUE VOULEZ- VOUS DIRE ?

MIYABI ?

...

HÉ HÉ

IL Y A UNE CHOSE QUE VOUS SEUL POUVEZ FAIRE POUR CELA.

HÉ ? LE BOULOT ?

appel entrant

Bière Taiyo

DRIIIING!

DRIIIING!

!

DRIIIING!

BON, ALORS NOUS, METTONS- NOUS À LA CUISINE...

À L'OUEST

UN JOUR DE CONGÉ.

DÉSOLÉ DE T'APPELER...

ET PUIS...

OUI, PRÈS DE MON BUREAU...

CETTE CAVE À VIN ?

ALORS, JE PEUX LA POSER ICI.

PAS DE PROBLÈMES, JE VOUS ASSURE...

ET, TU VOIS, JE ME SUIS FAIT UN LUMBAGO HIER...

MAIS ON M'A APPELÉ SUR MON PORTABLE POUR ME DIRE QUE C'ÉTAIT ARRIVÉ.

C'EST QUOI, CE VIN ?

OUI... CELUI-CI ?

AIDE-MOI À Y METTRE CE VIN, S'IL TE PLAÎT.

SI JE LUI RENDS SERVICE AUJOURD'HUI, IL ACCEPTERA PEUT-ÊTRE DE FAIRE PASSER LE VIN QUE J'AI ACHETÉ EN NOTES DE FRAIS...

ALORS, C'EST VRAI QUE LE CHEF DOIT ÊTRE BRANCHÉ VINS...

DE LA MÊME FAÇON QUE ROBERT PARKER JUNIOR.

LE CHEF DÉCERNE SES POINTS...

LE MIEN.

AH BON ?

facture

ARGH !

LA FACTURE DU CHABLIS !

Bière Taiyo — client

972.860 — — prix

PARDON ?

AU FAIT, PEUX-TU M'EXPLIQUER CE FAX ?

DÉSOLÉ, EUH EN FAIT...

NAAAN...

LE CAVISTE L'A ENVOYÉE PAR FAX ?!

MOI QUI PENSAIS PROFITER D'UN JOUR OÙ LE PATRON SERAIT DE BONNE HUMEUR POUR QU'IL LA SIGNE VITE FAIT !

LE PARI AVEC CHOSUKE PORTANT SUR DU ROUGE, POURQUOI CE CHABLIS ?

AARGH !

OH NON

PFFF

OUI... PUIS-JE DIRE QUE C'EST DANS L'INTÉRÊT DES BIÈRES TAIYO ?!

HIHIHI ! ALORS, VOILÀ L'EXPLICATION ...

ALORS, JUSTE POUR CETTE FOIS...

JE VOUS EN PRIE ! JE DOIS ENCORE PAYER TOUT SEUL UN VIN DE DESSERT !

C'EST UNE BONNE OPPORTUNITÉ POUR CHERCHER DES VINS FRANÇAIS POUVANT S'OPPOSER AUX VINS ITALIENS...

VRAI-MENT, J'VOUS JURE !

TOI, TU EN COMPRENDRAS SÛREMENT LA VALEUR.

C'EST UN VIN DE DESSERT... UN DE MES ENFANTS CHÉRIS, DISONS.

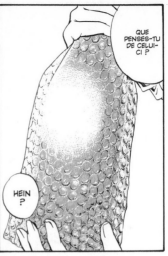

QUE PENSES-TU DE CELUI-CI ?

HEIN ?

ALORS RÉGLONS LE PROBLÈME EN UNE SEULE BOUTEILLE.

TU N'AS PAS D'ARGENT,

VOUS ÊTES SÛR ?

ZIM

VRAIMENT, C'EST PAS UN TYPE ORDINAIRE...

IL A TROP LE COUP DE MAIN !

CHEF KAWARAGE... MAIS ENFIN, QUI ÊTES-VOUS ?

QUI JE SUIS ?

C'EST... C'EST...

...

TU AS VU, NON, LA MONTAGNE DE VIN AU SOUS-SOL ?

ALORS QUE MAMAN, MALADE, S'ÉTAIT DONNÉE LA PEINE DE LES CHERCHER POUR LUI...

DEPUIS DÉJÀ DES ANNÉES AVANT LA MORT DE MAMAN, PAPA NE L'ÉCOUTAIT PLUS...

IL SE MONTAIT LA TÊTE AVEC LES MAGAZINES QU'IL LISAIT.

TRAVAILLIONS ENSEMBLE AU RESTAURANT.

SON RÊVE ÉTAIT QUE PAPA, ELLE ET MOI...

QUOI ?

OUI, POURQUOI ?

UN JOUR QUE JE LUI RENDAIS VISITE À L'HÔPITAL...

ALORS, "MA FAMILLE" AUSSI A CET ÂGE.

SUZUKA...

TU AS MAINTENANT 17 ANS...

CE RESTAURANT FAMILIAL DONT MA MÈRE RÊVAIT...

MAIS IL EST FINI...

N'EXISTE PLUS NULLE PART.

ET ENSUITE, JE QUITTERAI LA MAISON.

HEIN ?

TU NE VEUX PAS VOIR ÇA ?

...

TU DOIS ÊTRE LÀ POUR ASSISTER À CE MARIAGE...

ET CELUI QUI ACCOMPAGNERA LE PLAT PRINCIPAL...

ISSEI TOMINE REVIENDRA LUNDI...

POUR REVOIR SA CRITIQUE SUR LES MARIAGES DU VIN ET DES METS DE TON PÈRE.

TU NE CROIS PAS ?

EST LE DERNIER VIN CHOISI PAR TA MÈRE.

...

TRÈS BIEN, JE LE PRENDS...

JE VOUS CONSEILLE LE MENU A.

AVEC UN VERRE DE BLANC ET UN DE ROUGE.

JE VOUS EN PRIE.

BIEN, MONSIEUR.

Table réservée

#24 Fin

BIEN, MONSIEUR.

AVEC UN VERRE DE BLANC ET UN DE ROUGE.

TRÈS BIEN, JE LE PRENDS...

JE VOUS CONSEILLE LE MENU A.

#25 *Une revanche discrète*

VOICI LE CHA-BLIS...

JE NE POURRAIS PAS L'OUVRIR ICI ?

J'ATTENDS TA RÉPONSE, SOMMELIER !

OU... OUI, CHEF !

...

BLOUPS ZZ AY

UTILISE CE COUTEAU DE SOMMELIER...

SUZUKA !

M... MAIS...

FAIS HONNEUR À TON INSIGNE !

AIE CONFIANCE, ET OUVRE-LE DEVANT LUI.

TOUT IRA BIEN.

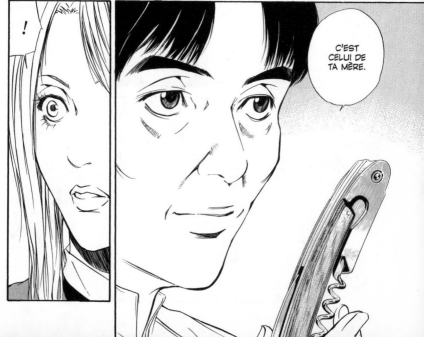

!

C'EST CELUI DE TA MÈRE.

...

J'Y VAIS.

JE VAIS L'OUVRIR DEVANT VOUS.

J'AI PRÉPARÉ VOTRE VIN...

CELLIER DE LA SABLIÈRE

CHABLIS
Appellation Chablis Con
Élevé et maison
LOUIS

ÇA LUI DÉPLAÎT, PEUT-ÊTRE ?

IL FIXE LA BOU-TEILLE...

...

TAQ TAQ

BAA

TAQ TAQ

BAA

VOICI LES HUÎTRES CREUSES DU SANRIKU*...

ELLES SONT TRÈS FRAÎCHES, VOUS POUVEZ LES DÉGUSTER AVEC LEUR EAU...

...

*NDT : région du Nord de Honshû, réputée pour ses fruits de mer.

JE SUIS SÛR QU'ISSEI L'ACCEPTERA.

MAIS ÇA DEVRAIT ÊTRE PARFAIT AVEC LA MOUSSE D'OURSINS.

SON ACIDITÉ ET L'ARÔME D'ÉPICES TRÈS FORT S'EN DÉGAGEANT JUSTE APRÈS OUVERTURE ME TRACASSENT UN PEU,

VOICI LE SECOND HORS-D'ŒUVRE, NOTRE MOUSSE D'OURSINS.

BON !

OUF ! IL A "NETTOYÉ" LE VIN ET LES HUÎTRES.

PARDON DE VOUS AVOIR FAIT ATTENDRE.

ON DIRAIT QU'ELLE PREND DE L'ASSURANCE...

OUI, ÇA VA MIEUX.

...

ELLE VEUT DEVENIR SOMMELIÈRE, COMME SA MÈRE.

OUI...

HEIN ?

DEPUIS SI LONGTEMPS ?

DEPUIS LA FIN DU LYCÉE, ELLE MENT SUR SON ÂGE POUR TRAVAILLER DANS UN BAR À VINS.

MAIS C'EST NORMAL...

...

ELLE NE VOUS A RIEN DIT CAR ELLE ÉTAIT SÛRE QUE VOUS VOUS Y OPPOSERIEZ.

QUEL EST CE VIN ?

SOMME-LIÈRE ?

ET CETTE MOUSSE D'OURSINS EST QUELQUE PEU DIFFÉRENTE DE CELLE QUE J'AI MANGÉE AUTREFOIS...

EN EFFET...

NOUS AVONS CHANGÉ L'ASSAISONNEMENT AFIN QU'ELLE S'ACCORDE AU MIEUX AVEC LE VIN.

C'EST NOTRE VIN MAISON, MONSIEUR.

COSN

!

C'EST...

OH...

EN AJOUTANT UN PEU DE MUSCADE.

OUI...

VOUS L'AVEZ ASSAISONNÉE DIFFÉREMMENT ?

AH ! IL LE GOÛTE !

JE VOIS ...

IL FALLAIT CHANGER UN PEU LE PLAT.

LE SAINT COSME POSSÈDE DES ARÔMES D'ÉPICES ORIENTAUX, EN PARTICULIER DE MUSCADE...

ET POUR SOULIGNER LA VOLUPTÉ DE CE VIN...

CELA DOIT ÊTRE... DE LA MUSCADE ?

EST-CE LA FORCE DE L'ASSAISONNEMENT DU PLAT ?

EN EFFET.

HUM...

EMBRASSENT LA PERSONNALITÉ DE LA MOUSSE D'OURSINS, PRESQUE AMOUREUSEMENT...

L'ACIDITÉ ET LA FORCE VOLUPTUEUSE DES ÉPICES DU CHÂTEAU DE SAINT COSME À PEINE OUVERT...

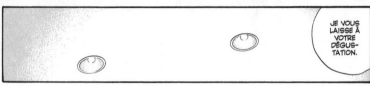

JE VOUS LAISSE À VOTRE DÉGUSTATION.

IL A PRESQUE TOUT BU !

OH...

ヒ"/TADAM

BON, AU PLAT PRINCIPAL, MAINTENANT !

YES !

VLAN

ALORS ?

ALORS, ON VA FAIRE CECI...

CO... COMMENT FAIRE ? IL EST RESTÉ TOUT CE TEMPS DANS LA BOUTEILLE...

ET IL LUI FAUDRAIT ENCORE UNE HEURE POUR S'AÉRER...

LE VIN AURAIT PU DÉPLOYER SON POTENTIEL DE MANIÈRE ÉQUILIBRÉE...

S'IL EN AVAIT LAISSÉ.

ET METS-LA DANS LA CAVE À VIN...

LAISSE L'AUTRE MOITIÉ DANS LA BOU-TEILLE,

COMME ÇA, ON CONSERVE LA SAVEUR DU VIN ALLANT AVEC LA MOUSSE D'OURSIN...

AH !

ET ON DÉCANTE LE RESTE POUR L'ACCORDER AVEC LE PLAT PRINCIPAL.

AH !

JE VOIS...

C'EST ÇA, L'IDÉE.

AINSI, AVEC UN SEUL VIN, ON OBTIENT DEUX GOÛTS DIFFÉRENTS...

!

OUI, CHEF !

EST PRÊT !

LE SAUTÉ DE RIS DE VEAU ET DE FOIE GRAS...

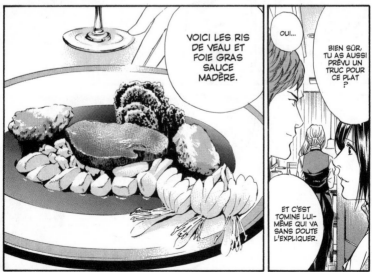

VOICI LES RIS DE VEAU ET FOIE GRAS SAUCE MADÈRE.

OUI...

BIEN SÛR, TU AS AUSSI PRÉVU UN TRUC POUR CE PLAT ?

ET C'EST TOMINE LUI-MÊME QUI VA SANS DOUTE L'EXPLIQUER.

RESSORT SA LEÇON...

OUI, MONSIEUR. CE VIN METTANT UN PEU DE TEMPS À ATTEINDRE SON ÉQUILIBRE...

HUM...

AVEZ-VOUS DÉCANTÉ...

PUIS-JE REMPLIR À NOUVEAU VOTRE VERRE ?

J'AI DÉCANTÉ LA MOITIÉ DE LA BOUTEILLE EN VUE DE LA DÉGUSTATION DE CE PLAT.

LE SAINT COSME ?

ALORS, OUI, JE VAIS EN REPRENDRE.

BIEN, MON-SIEUR.

OOH...

OH...

UN MARIAGE PLEIN DE NOSTALGIE...

L'ALLIANCE DU CHABLIS LOUIS JADOT ET DES HUÎTRES ÉTAIT...

PUIS CELLE DU SAINT COSME ET DE LA MOUSSE D'OURSINS...

ÉTAIT PARFAITE DE VOLUPTÉ...

MAGNIFI-QUE !

MAIS CELLE DE CE PLAT DE VIANDE ET DU SAINT COSME QUI A ÉCLOS EST UN VÉRITABLE MIRACLE...

UNE RENCONTRE DU DESTIN.

C'EST LA PERSONNA-LITÉ DU SAINT COSME.

LE CASSIS, LA PRUNE, LA CERISE NOIRE, ET CE ZESTE D'ORANGE...

CACHÉS AU CŒUR DE LA DOUCEUR DE LA SAUCE MADÈRE...

LES ARÔMES SECRETS DE NOM-BREUX FRUITS...

UN ARÔME DE CHÈVREFEUILLE Y APPORTE UNE DERNIÈRE TOUCHE, COMME UN ORNEMENT...

C'EST UN BALLET QUI ME TOUCHE AU CŒUR.

OUI, MON-
SIEUR !

DANS CE CAS, JE PRENDRAI UN VIN DE DESSERT.

BIEN SÛR, VOUS EN AVEZ PRÉPARÉ UN ?

MON-
SIEUR ?

...

LES CAVES DE LA LOIRE, COTEAUX DU LAYON 1978...

1978

COTEAUX DU LAYON

MOELLEUX

JE VOUS DEMANDE PARDON. JE NE PENSAIS PAS POUVOIR TROUVER UN PRODUIT D'UN TEL CALIBRE DANS UNE CUVÉE MAISON...

POUR LES JAPONAIS, PEU HABITUÉS AUX VINS DE DESSERT, CE VIN BOTRYTISÉ TRÈS SUCRÉ EST SANS DOUTE UN PEU LOURD.

MÊME CE GRAND MILLÉSIME 78 SE TROUVE DANS LES 3000* YENS.

QUANT AU PRIX, CETTE RÉGION ÉTANT CONSIDÉRÉE COMME MINEURE,

*NDT : environ 18 euros.

ON SENT JUSTE UNE TOUCHE ACIDULÉE...

EST-CE À CAUSE DE CETTE MATURATION LONGUE DE 25 ANS ? EN TOUT CAS, SON MOELLEUX EST DE PREMIÈRE QUALITÉ...

C'EST POUR CELA QU'AFIN QU'IL S'ACCORDE AVEC LE DESSERT, ON A PRÉPARÉ UN SOUFFLÉ CHAUD À L'ABRICOT.

...

OU... OUI, MONSIEUR.

VOULEZ-VOUS BIEN APPELER LE CHEF ?

SOMME-LIÈRE...

MONSIEUR WATANUKI, CE REPAS FUT UN VRAI PLAISIR.

NOUS SOMMES HONORÉS DE VOTRE VISITE.

JE SUIS WATANUKI, LE CHEF ET PROPRIÉTAIRE.

MA FILLE ÉTUDIANT DÉSORMAIS L'ŒNOLOGIE...

JE LE REGRETTE.

J'AI CRITIQUÉ SÉVÈREMENT VOTRE RESTAURANT DANS UN ARTICLE, L'ANNÉE DERNIÈRE...

NON, J'ÉTAIS À BLÂMER.

CE GENRE D'ERREUR NE SE REPRODUIRA PAS.

OUI
?

J'AIMERAIS VOUS POSER UNE QUESTION...

C'ÉTAIT DONC CELA...

QUI A COORDONNÉ CES VINS ?

JE... JE VOUS DEMANDE PARDON. IL ÉTAIT À MA MÈRE, ET...

ET VOUS DEVEZ AVOIR TOUT JUSTE 20 ANS ?

N'EST ATTRIBUÉ QU'APRÈS 10 ANS D'EXPÉRIENCE.

SANS VOULOIR ÊTRE IMPOLI, L'INSIGNE DE SOMMELIER QUE VOUS PORTEZ...

SURTOUT À VOUS, MONSIEUR TOMINE. C'EST POURQUOI ...

AH BON... ET DONC, QUI A SÉLECTIONNÉ CES VINS ?

MAIS IL NOUS A FAIT PROMETTRE DE NE PAS RÉVÉLER SON NOM...

C'EST... C'EST VRAI QUE QUELQU'UN NOUS A AIDÉS DANS NOS CHOIX...

TRÈS BIEN, JE N'INSISTERAI PAS.

AH BON...

À CES MARIAGES ÉMOUVANTS ENTRE LES METS ET LES VINS.

JE NE MANQUERAI PAS DE DONNER, DANS MON ARTICLE, LA MEILLEURE NOTE...

ET NE VOUS EN FAITES PAS.

CETTE MYSTÉRIEUSE PERSONNE.

ET CE QUELLE QUE SOIT...

#25 Fin

MWAAAH !

ET EN EST TOMBÉ DANS LES POMMES !

MÊME TAWANUKI, QUI NE BOIT JAMAIS, A PRIS UN VERRE...

ON A FAIT LA FÊTE À "MA FAMILLE"...

J'AI ENCORE BU HIER...

HI HI

#26 *Un joli cadeau du hasard*

!

résultat du OX « examen de sommelier

LES... RÉSULTATS DE L'EXAMEN QUE J'AI PASSÉ EN SECRET...

ON DIRAIT QUE C'EST ARRIVÉ HIER...

SI LE PÈRE ET LA FILLE TRAVAILLENT ENSEMBLE ...

MM ?

MAIS JE SUIS CONTENTE, CAR CE RESTAURANT VA SÛREMENT REDÉMARRER...

SHINOHARA

MANQUE D'EXPÉRIENCE DE MA PART...

MAIS À LA DÉGUSTATION, IL Y AVAIT DES VINS DONT LES ARÔMES M'ÉTAIENT INCONNUS...

POUR L'ESSAI, JE NE ME SUIS PAS MAL DÉBROUILLÉE ...

QU'EST-CE QUE ÇA DONNE ?

OH !

MON DIEU !

SI ÇA CONTINUE COMME ÇA, JE VAIS BOUFFER DES NOUILLES JUSQU'À LA FIN DU MOIS...

JE SUIS MAL !

HMM...

SERAIT D'ACHETER PLEIN DE SECONDS VINS DE CHÂTEAUX CÉLÈBRES.

LE PLUS FACILE SI TU CHERCHES DES VINS BON MARCHÉ...

AH, C'EST À CAUSE DE M. FUJIEDA...

COMMENT EN SUIS-JE ARRIVÉ LÀ ?

MAIS SI JE ME SOUVIENS BIEN, CES VINS...

C'EST LORSQU'ILS SONT DANS LES CUVES QU'UN TESTEUR DÉCIDE DE LES FAIRE PASSER EN SECOND VIN.

MAIS POUR LES CHÂTEAUX DE PREMIÈRE CLASSE, ILS SONT FAITS À PARTIR DU MÊME RAISIN ET ÉLEVÉS DE LA MÊME FAÇON...

C'EST VRAI POUR CERTAINS, OUI...

SONT FAITS AVEC DES RAISINS TROP MAUVAIS POUR ÊTRE UTILISABLES POUR LES CHÂTEAUX...

POUR CE DUEL FRANCE-ITALIE AVEC CHOSUKE...

ALORS QUE J'EN AI ENCORE D'AUTRES À GOÛTER...

SANS ARGENT, JE VAIS ÊTRE OBLIGÉ D'ARRÊTER... JE SUIS VRAIMENT MAL...

HUM ?

MAIS CELLE DE QUALITÉ EST BIEN MOINDRE.

LA DIFFÉRENCE DE PRIX EST DE PLUS DE 50 %...

ET VOILÀ, J'EN AI ACHETÉ PLEIN...

CAVISTE ET BAR À VINS

PARKER CAVE

ÉVÉNEMENT POUR L'OUVERTURE

Nous proposons des vins de prix au verre ! 2000 yens le verre pour les 5 grands châteaux !

*NDT : ENVIRON 12 EUROS.

PUIS-JE AVOIR LE MENU DES...

AU VERRE ET NON À LA BOUTEILLE, C'EST TOUT BÉNEF POUR MON PORTE-FEUILLE...

AH, C'EST LÀ !

BIEN-VENUE !

VOUS VOUS MOQUEZ DE MOI ?!

158

WOW... UNE CLIENTE PAS FACILE...

PAUVRE BAR-MAN...

JE VOUS PRÉVIENS, JE NE PAIERAI PAS !

MAIS MADAME, CECI EST BIEN LE VERRE DE CHÂTEAU LA MISSION HAUT-BRION QUE VOUS AVEZ COMMANDÉ...

MEN-TEUR !

HÉ ?

C'EST HORS DE QUESTION, JE VOUS DIS !

MAIS VOUS DEVEZ PAYEZ LA NOTE...

VOUS PROFITEZ DE MON ÂGE POUR ME REFILER UNE PIQUETTE !

QUI ES-TU, TOI ?

ALLONS, ALLONS...

LE SCANDALE, C'EST QU'ON M'AIT REFILÉ UN FAUX GRAND CRU !

AU PRIX OÙ IL EST, C'EST UNE HONTE !

...

MA PETITE DAME, ON EST TOUS LÀ POUR SE DÉTENDRE DEVANT UN BON VERRE...

LE SCANDALE EMBARRASSE CE PAUVRE EMPLOYÉ...

160

PA-TRON !

VOUS VOUS ÊTES MIS D'ACCORD POUR ME RUINER, NON ?

DITES, MESSIEURS-DAMES...

CELA FAIT UN MOMENT QUE J'ÉCOUTE, ET J'AI TOUT COMPRIS...

MEN-TEUR !

TU VOIS ?

HEEEIN ?

SI VOUS REFUSEZ DE LE DIRE, ÇA PROUVE QUE...

ALORS, QUI ÊTES-VOUS ?

PAS DU TOUT !

MON PÈRE, OUI.

QUE FEU MAÎTRE YUTAKA KANZAKI ÉTAIT...

NE... NE ME DITES PAS...

JE SUIS SHIZUKU KANZAKI, DES BIÈRES TAIYO.

Bières TAIYO
département vins
Shizuku
KANZAKI
TEL 03~0000~0
FAX 03~XXXX~
E-mail S_kanzaki

KANZAKI ?!

VOILÀ !

ALLEZ...

TU VOIS QUE CE N'EST PAS ÇA !

PESSAC-L...
APPELLATION PESSAC-LÉO...
GRAND VIN DE G...
2000
DOMAINE CLARENCE D...
PROPRIÉTAIRE A TALENCE AGRO...
MIS EN BOUTEILLE A LA PROPRIÉT...
PRODUCT OF FRANCE

...

C'EST BIEN UN CHÂTEAU LA MISSION, JE VOUS DIS !

VOUS VOULEZ VOIR ?

HÉ, TOI ! AMÈNE-MOI LA BOUTEILLE !

ET LA COULEUR DE L'ÉTIQUETTE EST LA MÊME...

...

IL Y A BIEN LA CROIX...

HEIN ? MAIS LA BOUTEILLE Y RESSEMBLE...

...EILLE AU CHÂTEAU
CLARENCE DILLON
PROPRIÉTAIRE

IMBÉCILE, REGARDE BIEN !

POC

QUOI ?

MAIS, PATRON...

JE VOUS PRIE DE NOUS EXCUSER !

C'EST VRAI.

AH...

ET CE N'EST PAS LE MÊME PORTAIL SUR L'IMAGE DU CHÂTEAU !

CHATEAU LA MISSION HAUT-BRION

C'EST TOUT ?! TU VAS DEVOIR BOSSER, MON GARÇON !

2001

LÀ, IL Y A ÉCRIT "CHAPELLE" !

C'EST VRAI QUE LES ÉTIQUETTES SE RESSEMBLENT, MAIS...

LA CHAPELLE DE LA MISSION HAUT-BRION

PESSAC-LEOGNAN
APPELLATION PESSAC-LEOGNAN CONTRÔLÉE

SI VOUS POUVIEZ OUBLIER CET INCID...

NOUS VOUS OFFRONS LE CHÂTEAU LA MISSION...

MA-DAME. JE VOUS PRÉ-SENTE MES EXCU-SES,

HEIN ?

ALORS, TOI AUSSI, TU BOIRAS AVEC MOI. ♡

AH OUI ?

HAUT-BRION... IL Y AVAIT CE NOM PARMI LES CINQ GRANDS CHÂTEAUX...

QUEL JOLI BOUQUET, IL S'ÉLÈVE JUSQU'ICI...

HUM...

TU ES POURTANT LE FILS DE YUTAKA KANZAKI...

TU N'EN SAIS PAS PLUS ?

COMMENT ?

CE N'EST PAS L'IMPORTANT.

PAS DU AUSSI BIEN, ÉVIDEMMENT...

IL SE TROUVE QUE J'EN AI BU HIER SOIR...

OOH... POURTANT, TA DÉGUSTATION DE TOUT À L'HEURE ÉTAIT IMPRESSIONNANTE...

TU AS DEVINÉ QUE C'ÉTAIT UN SECOND VIN EN UNE SEULE GORGÉE...

OUI, MAIS JUSQU'À IL Y A PEU, JE NE M'INTÉRESSAIS PAS AU VIN...

EUH...

VOUS CONNAISSIEZ MON PÈRE ?

OH ?

C'EST LA MÉMOIRE DU BOUQUET ET DE L'ARÔME.

CE QUI COMPTE DANS UNE DÉGUSTATION...

MAÎTRE KANZAKI ME L'A ENSEIGNÉE AUTREFOIS.

ET QUEL SUCCÈS IL AVAIT !

IL ÉTAIT SI BEAU, À L'ÉPOQUE...

J'AI SUIVI SES COURS D'ŒNOLOGIE.

OUI...

ISSEI ?

AH... IL EST SI BEAU QUE ÇA...

ARGH

MOI, IL M'ÉNERVE, CE SNOBINARD EN COSTARD...

SES ÉLÈVES ÉTAIENT TOUTES FOLLES DE LUI...

UN PEU COMME LE NUMÉRO UN PARMI LES JEUNES ŒNOLOGUES, ISSEI TOMINE...

AH...

NON, NON...

TU AS UN PROBLÈME AVEC LUI ?

OH ?

JE RÉPÈTE CE QUE DISAIT MAÎTRE KANZAKI.

CO... COMMENT AVEZ-VOUS DEVINÉ CE QUE J'ALLAIS DIRE ?!

QUOI ?

PAR EXEM- PLE...

"OÙ UN HOMME AUX YEUX NOIRS FAIT RÉSONNER UN FLAMENCO SUR SA GUITARE..."

TU ES DESTINÉ À DÉDIER TA VIE AU VIN.

JE M'EN DOUTAIS... COMME LUI...

...

BIEN SÛR, N'HÉSITEZ PAS !

JE ME DEMANDE SI JE N'IRAI PAS Y FAIRE UN TOUR...

ET CE DUEL FRANCE-ITALIE ME PARAÎT PASSIONNANT !

POUR UNE FOIS, AUTANT QUE JE VOULAIS...

AH, J'AI BIEN BU...

VOUS TENEZ BIEN L'ALCOOL...

JE VOUS OFFRIRAI DE CES VINS QUE J'AI SÉLECTIONNÉS !

PFF...

MAIS BON, JE SUIS FAUCHÉ ET JE N'AI ENCORE TROUVÉ QUE LE VIN À 1000 YENS*...

*NDT : ENVIRON 8 EUROS.

ELLE OFFRE UNE GRANDE VARIÉTÉ ET BEAUCOUP DE PROFONDEUR...

HUM, VOYONS...

POUR TOI, QUEL EST L'ATTRAIT DE LA CUISINE FRANÇAISE ?

SI JE TE DONNAIS UN INDICE ?

PARDON ?

S'INSPIRE DES AUTRES CUISINES DU MONDE...

ELLE UTILISE DES INGRÉDIENTS DIVERS COMME LES FRUITS DE MER, LA VIANDE OU LES LÉGUMES...

DE LA PREMIÈRE À LA DERNIÈRE BOUCHÉE, ON PEUT APPRÉCIER LA DÉLICATE COMPOSITION DU MENU, CE QUI EST UNE EXPÉRIENCE...

HEIN ?

ET À TON AVIS, QUELS SONT LES ATTRAITS DU VIN FRANÇAIS ?

JE SUIS D'AC-CORD...

DIFFÉRENTE PAR RAPPORT AUX REPAS D'ITALIE ET D'AILLEURS...

WOW !

BON, JE DOIS Y ALLER.

!

C'EST MON INDICE...

PENSES-Y BIEN...

MERCI...

MADAME.

BONSOIR...

M... MERCI !

EUH... POURRIEZ-VOUS ME DIRE VOTRE NOM ?

CONTINUE À M'APPELER "MA PETITE DAME" !

PRENDS-LA, ET TU PEUX LA BOIRE OU LA VENDRE, COMME TU VEUX.

OUI...

OH, CE N'EST PAS LA PEINE...

VOILÀ.

VOUS... ME LA DONNEZ ?

SHIZUKU, CHIEN FIDÈLE.

JE VEUX TE REMERCIER.

ATTENDS UN PEU...

À LA PROCHAINE FOIS !

BIZZ ! ♡

JE ME DEMANDE QUI ELLE POUVAIT ÊTRE...

SI ÇA SE TROUVE, C'EST QUELQU'UN DE TRÈS IMPORTANT !

OH, DRÔLE D'HISTOIRE !

WINE Bar

OU JUSTE L'ÉPOUSE D'UN MILLIONNAIRE !

HÉ BEN ?

OUH LÀ... bzz タル bzz

SHI... SHI-ZUK'U...

QU'EST-CE QUE...

PRR #"#"

ALORS, C'EST ÇA, SON CADEAU ?

171

SHIZUKU... TU SAIS COMBIEN ÇA COÛTE ?

CE... C'EST...

CE N'EST PAS QUE JE POURRAIS ME LE PERMETTRE, MAIS L'AUTRE JOUR, J'AI VU DES ENCHÈRES ET SON PRIX...

UN CHÂTEAU LE PIN 82 ?!

QUOI, SON PRIX ?

Le Pin

POMEROL

1982

MIS EN BOUTEILLE AU CHÂTEAU

QUÓA ?!

700 000* YENS !

EH OUI !

*NDT : ENVIRON 4500 EUROS.

TU VAS LA BOIRE ?

O... OK, MAIS...

VOUS POUVEZ LA GARDER ICI ?

HEIN ?

QUE VAS-TU EN FAIRE...

MA CAVE À VIN EST PAS TOP ET J'AI PEUR QU'ELLE L'ABÎME...

Le Pin

POMEROL

1982

JE VAIS LA VENDRE AUX ENCHÈRES SUR INTERNET, OUI !

ÇA VA PAS ?!

JE VAIS PAS BOIRE UN VIN À CE PRIX-LÀ !

AH, DOMMAGE...

C'EST VRAI QUE ÇA FAIT DE L'ARGENT À RÉCUPÉRER.

AH BON... LA BOIRE SERAIT BIEN AUSSI, MAIS 700 000 YENS...

JE SUIS VRAIMENT FAUCHÉ, CE MOIS-CI !

AH, QUELLE CHANCE !

NON, EN FAIT...

EUH...

MIYABI, TU N'AS PAS L'AIR BIEN...

OH ?

BON-SOIR...

QUOI DONC ?

ÇA DÉPRIME QUAND MÊME.

JE SAVAIS QUE NON, MAIS ÊTRE CONFRONTÉE À LA RÉALITÉ...

L'EXAMEN DE SOMMELIER.

J'AI RATÉ...

ET PUIS TU ES ENCORE JEUNE...

AH... TU FERAS MIEUX LA PROCHAINE FOIS...

JE N'AI PEUT-ÊTRE... AU-CUN TALENT.

JE L'AI PASSÉ EN SECRET, ME DISANT QUE SUR UN COUP DE CHANCE JE POURRAIS L'AVOIR...

J'AI EU LE RÉSUL-TAT CE MATIN.

MAIS COMME PRÉVU, C'EST RATÉ...

HEIN ?

ALORS C'EST NORMAL... MAIS AVEC UN PEU D'EXPÉRIENCE, TU RÉUSSIRAS, C'EST SÛR !

C'EST JUSTE QUE, TU VOIS, TU AS BEAUCOUP ÉTUDIÉ LA THÉORIE, MAIS TU N'AS PAS ENCORE GOÛTÉ ASSEZ DE VINS.

MAIS NON, VOYONS !

...

JE PEUX PAS BOIRE DE BONS VINS...

JE SUIS FAUCHÉE !

JE VEUX ME SOÛLER !

DONNE-MOI N'IMPORTE QUOI ! MÊME UNE PIQUETTE, JE VEUX BOIRE À GOGO !

TU ES SÛR ?

...

TU NE VEUX PAS DIRE...

CE QUE JE...

POUVEZ-VOUS OUVRIR CE QUE VOUS SAVEZ ?

MONSIEUR FUJIEDA...

POUR BOIRE À GOGO...

OUI !

ÇA TOMBE BIEN, CE CADEAU !

SI, CELLE-LÀ.

BUVONS-LA ENSEMBLE !

??

C'EST UN SECRET !

TU DEVRAS ESSAYER DE DEVINER !

QUEL... CADEAU ?

SANTÉ !

BON
...

À TON
ÉCHEC À
L'EXAMEN DE
SOMMELIER !

EXAC-
TEMENT !

AH !
ÇA VOUS
AMUSE
DE ME
TORTURER,
HEIN
?!

ALORS,
COMMENCE
PAR LE
CÉPAGE...
ENSUITE LE
MILLÉSIME...

NON,
TU DOIS
DEVINER.

S'IL
EST PAS
CHER, J'EN
ACHÈTERAI !

MAIS
IL EST
TROP
BON !
C'EST
QUOI,
DIS
?

W
O
O
O
W
!

#26 Fin

#27 *Le vin français, inévitablement*

BONNJOUUR !

VLAN カ チャッ

EUH NON, ON S'EST JUSTE RENCONTRÉS DANS L'ASCENSEUR.

C'EST VRAI QU'ON A PASSÉ LA SOIRÉE ENSEMBLE, MAIS C'EST TOUT...

ARRÊTE, TU VAS CRÉER UN MALENTENDU !

C'EST DE L'ESPRIT DE CORPS, BRAVO !

VOUS ARRIVEZ EN MÊME TEMPS...

OHO !

À L'OUEST

OH

ON VA DÉCIDER DE LA POLITIQUE DU DÉPARTEMENT VINS...

ET C'EST PARTI, REVOILÀ CHOSUKE LE RITAL !

TU T'Y CROIS, HEIN, SHIZUKU ?

ALORS JE SUPPOSE QUE TU AS DÉJÀ LES BOUTEILLES POUR LE DUEL FRANCE-ITALIE ?

GRR

VOILÀ, 1000, 2000 ET 3000 YENS !

BIEN SÛR QUE JE LES AI ! RESTE PLUS QUE 2 JOURS, NON ?

Pas touche !
Honma
(P.S. : Surtout toi, Shinsuke)

ELLES SONT PRÊTES ET STOCKÉES DANS LA CAVE HONMA !

ET TOI, CHOSUKE ?

EUH... DISONS UN TIERS...

Hein ?

Tu veux vraiment jouer le jeu ?

LA CAVE HONMA ?

BEN J'AI ÉTÉ OCCUPÉ ET...

QUOI ?

COMMENT ?! J'ÉTAIS FIN PRÊT, MOI !

REPOUSSONS À LUNDI, ALORS.

JE SERAI EN VOYAGE D'AFFAIRES CE VENDREDI...

À L'OUEST

AH, À CE PROPOS, CHOSUKE...

!

HAAA!! LOVE

TU ES VRAIMENT LA MADONNA DU DÉPARTE-MENT VINS ! ♡

POUR ÊTRE SI COMPRÉ-HENSIVE AVEC CE REBUT DE L'HUMANITÉ,

EN... ENCORE !!

...

...

OOO SOOOLE MIOOO !

N'EST-CE PAS, M. KAWA-RAGE ?

VOUS M'AVEZ ENVOYÉ UNE BOUÉE DE SAUVE-TAGE,

NON ?

CES 3 JOURS SONT UNE CHANCE,

HO HO HO !

VOUS CROYEZ ?

ALORS QUE CHOSUKE CONNAÎT LE MOINDRE DÉTAIL DES VINS ITALIENS...

TU N'ES QU'UN BLEU EN MATIÈRE DE THÉORIE...

MÊME SI TES CAPACITÉS DE GOÛTEUR SONT FABULEUSES,

JE ME SUIS DONC DIT QU'UNE SEMAINE, C'ÉTAIT BIEN COURT...

QUE CE MILLÉSIME SOIT SI ABORDABLE ÉTAIT DÉJÀ BIEN...

OH, FABULEUX !

MAIS CETTE DOUCEUR DE L'ABRICOT ET DE LA POIRE ÉTAIT INOUBLIABLE !

LE VIN DE LOIRE DE L'AUTRE JOUR ?

AU FAIT, COMMENT ÉTAIT-IL,

HEIN ?

QUÔA ?

JE PROFITE DE TA BONNE HUMEUR POUR TE PASSER CETTE FACTURE.

AH BON...

JE ME SUIS BIEN VENGÉ, HÉ HÉ HÉ...

ISSEI TOMINE SE L'EST PRIS DANS LA GUEULE !

J'AURAIS VRAIMENT DÛ VENDRE LE "LE PIN", AU LIEU DE ME LA JOUER...

ET VU NOTRE PETIT BUDGET, TU VAS DEVOIR LA PAYER.

LE CHABLIS N'A AUCUN RAPPORT AVEC LE DUEL.

EUH, MAIS, POUR LA NOTE DE FRAIS...

MAIS POUR LES AUTRES PRIX, QUE DALLE !

POUR LES 1000 YENS, ON A LE SAINT COSME...

AVEC CES 3 JOURS DE SURSIS, NOUS EN AVONS 5...

ÇA NE SERT À RIEN DE COURIR LES CAVISTES SANS IDÉE EN TÊTE !

HUM...

QUOI ?

NON...

OUIII !

VOUS CHERCHEZ UN VIN EN PARTICULIER ?

MON- SIEUR ...

183

LE BOURGOGNE À 2000 YENS QUE VOUS VENDEZ LE PLUS ?

POUVEZ-VOUS ME MONTRER...

MAIS POURQUOI UN BOURGOGNE ?

UNE BOUTEILLE PAR CAVISTE PERMET DE RÉUNIR UN BON ÉCHANTILLON...

PAS VRAI ?

EN CHOISISSANT PARMI LES VINS LES PLUS VENDUS CHEZ LES CAVISTES, TU NE RISQUES PAS DE TE TROMPER...

AH, EN EFFET...

QUEL EST POUR TOI L'ATTRAIT DE LA CUISINE FRANÇAISE ?

LA DRÔLE DE BONNE FEMME QUI M'A DONNÉ LE "LE PIN" M'A DEMANDÉ...

EN Y RÉFLÉCHIS-SANT, J'AI COMPRIS.

ÇA NE M'A PAS FRAPPÉ, MAIS...

ET ENSUITE, COMME UNE DEVINETTE, ELLE M'A POSÉ LA MÊME QUESTION À PROPOS DU VIN.

SA DIVER-SITÉ.

C'ÉTAIT SI SOUDAIN, QUE CE QUI M'EST VENU À L'ESPRIT EST...

SONT VRAIMENT COMME UN COUPLE.

LA CUISINE FRANÇAISE ET LE VIN...

JE L'AI DÉJÀ RÉALISÉ LORS DE L'AFFAIRE DU RESTAURANT...

QUAND ON ACCORDE LES VINS À CHAQUE PLAT D'UN MENU, C'EST VRAIMENT UN MARIAGE IDÉAL, NON ?

DANS CE CAS, LE CHARME DU VIN FRANÇAIS N'EST-IL PAS LE MÊME QUE CELUI DE LA CUISINE ?

NE SERAIT-CE PAS LA DIVERSITÉ DES BOUQUETS ET DES ARÔMES ?

PAR CONSÉQUENT...

LA SUPÉRIORITÉ DU VIN FRANÇAIS SUR LE VIN ITALIEN...

MAIS CETTE CUISINE SE RÉSUME, EN GROS, À LA SAUCE TOMATE, À L'HUILE D'ORIGAN ET AU FROMAGE...

JE NE L'AI PAS VU TOUT DE SUITE, MAIS...

QUAND JE BUVAIS DU VIN ITALIEN AU "MONOPOLE"...

EN FAIT, TOUS LES VINS ITALIENS SONT PUISSANTS, CORSÉS ET SIMPLES.

ET LES VINS SONT DONC TOUS FAITS, À LA BASE, POUR S'ALLIER AVEC CES MÊMES PRODUITS.

LE VIN ITALIEN A SANS DOUTE UN CHARME ACCESSIBLE AU PLUS GRAND NOMBRE.

TOUT COMME LA CUISINE ITALIENNE QUI S'EST RÉPANDUE TRÈS LARGE- MENT AU JAPON...

AU CŒUR DE L'ÉTÉ...

LES VINS BLANCS FRAIS SONT DÉLICIEUX.

LES VINS DU RHÔNE COMME LE SAINT COSME...

SEMBLENT SE MARIER PARFAITEMENT AU GIBIER OU AU CANARD QUE L'ON DÉGUSTE EN AUTOMNE.

QUANT AUX VINS BLANCS AU CORPS SOLIDE PRODUITS À PARTIR DE SAUVIGNON BLANC...

ON A ENVIE DE LES BOIRE DE LA FIN DE L'ÉTÉ À L'AUTOMNE.

AH, ARRÊTE...

RIEN QU'À T'ENTENDRE, J'AI ENVIE D'EN BOIRE !

ET ENFIN, LES BORDEAUX CORSÉS SONT DE PARFAITS COMPAGNONS EN HIVER.

C'EST VRAI QUE...

··· OH...

···

···

AH...

EN BREF...

STRA- TÉGIE, MA CHÈRE...

POURQUOI UN BOURGOGNE APRÈS UN VIN DU RHÔNE ?

REVE- NONS À NOS MOUTONS ...

CE SONT LES BOURGOGNES DE BASSE QUALITÉ.

APRÈS AVOIR COURU LES CAVISTES, TOUT CE QU'ON PEUT TROUVER À CE PRIX- LÀ...

AH, C'EST VRAI...

PAS FACILE DE TROUVER UN BOURGOGNE À 2000 YENS.

MAIS ···

AH BON ?

AUTREMENT DIT, IL Y A DES RÈGLES POUR CLASSER LES VINS.

IL Y A DES CRUS EN BOUR- GOGNE.

EN GROS, LES BOURGOGNES ROUGES SONT FAITS À PARTIR DE RAISINS RÉCOLTÉS ÇA ET LÀ, DE MOINDRE QUALITÉ.

ET LE BOURGOGNE ROUGE, C'EST QUOI, AU FAIT ?

ARRÊTE DE JOUER LES IDIOTS...

ÉTAIENT PRESQUE TOUS DES BOURGOGNES ROUGES.

LES VINS DES RELATIONS DE HENRI JAYER QUE NOUS AVIONS RASSEMBLÉS...

SOU-VIENS-TOI,

MAIS C'EST VRAI...

AH !

LEUR QUALITÉ EST DE TOUTE FAÇON MOINDRE...

ET SURTOUT, LES CARAC-TÉRISTIQUES DU TERROIR, SI IMPORTANTES POUR LES VINS FRANÇAIS, NE RESSORTENT PLUS...

ET ON NE PEUT PAS DIRE QU'ILS ÉTAIENT TOUS BONS...

ON NE S'OCCUPAIT PAS DU TERROIR.

CEPENDANT, L'IMPORTANT POUR NOUS ÉTAIT LA TOUCHE DU PRODUCTEUR...

JE N'AI PAS SENTI LEUR TERROIR, CETTE ESPÈCE DE PERSONNALITÉ AFFIRMÉE...

À LA DIFFÉRENCE DE L'ÉCHÉZEAUX ET DU VOSNE-ROMANÉE VILLAGE DE M. ROBERT...

LE GEVREY-CHAMBERTIN DU VILLAGE DU MÊME NOM, DONC ON DOIT BIEN EN SENTIR LES CARAC-TÉRISTIQUES.

LE VOSNE-ROMANÉE VILLAGE VIENT DE VOSNE-ROMANÉE...

LES APPELLATIONS VILLAGE SONT COMME LEUR NOM L'INDIQUE LIMITÉES À CERTAINES PARCELLES, DONT LA QUALITÉ EST À PEU PRÈS ÉGALE...

MMM...

POUR LE 2000 YENS, ON PREND UN BOURGOGNE VILLAGE !

OK, C'EST DÉCIDÉ !

QUOI ?!

MAIS JE DOIS CHERCHER !

C'EST RISQUÉ D'EN ACHETER...

CEUX QUI SE VENDENT MOINS CHER SONT DE MOINDRE QUA-LITÉ...

SONT PRESQUE TOUS À 3000 YENS !

MAIS MÊME LES VILLAGES, À PART CERTAINS NÉGOCIANTS QUI ACHÈTENT LEUR RAISIN...

J'AI BESOIN D'UN BOURGOGNE VILLAGE BON MARCHÉ ET DE BONNE QUALITÉ...

...

POUR BATTRE LE VIN ITALIEN...

HEIN ?

J'AI UNE IDÉE !

RETOURNONS À LA BOÎTE...

JE SAIS !

JE PEUX PEUT-ÊTRE TROUVER CE QUE JE CHERCHE PAS LOIN D'ICI.

SUIS-MOI DONC...

SI...

TU VAS PAS FAIRE LES CAVISTES ?

AH... ENCORE DE L'ARGENT JETÉ PAR LES FENÊTRES...

TU VAS FAIRE QUOI DE CELLES-CI ?

HEU...

VRAI- MENT ? BON...

TU NE T'EN SERS JAMAIS ?

OUI...

CLAC !!!

TON IDÉE, C'EST UN PC ?

ET SOU- VENT, LE PORT EST GRATUIT.

J'ACHÈTE PAR INTERNET LES LIVRES QUE JE NE TROUVE PAS EN LIBRAIRIE...

CLIC CLIC CLIC

MAIS TU DEVRAIS...

OOOH ?

AH, C'EST VRAI QUE TU N'EN AS PAS CHEZ TOI !

MOI ET LA TECHNOLOGIE, ÇA FAIT DEUX !

EUH...

REGAR-
DE...

C'EST DU
GÂTEAU,
OUI !

MAIS
C'EST
PAS
TROP
COMPLI-
QUÉ
?

DANS
UN MAGASIN
INTERNET, TU FAIS
UNE RECHERCHE
AVANCÉE PAR
ORDRE DE
PRIX...

ET C'EST
PEUT-ÊTRE
PAREIL
POUR LE
VIN...

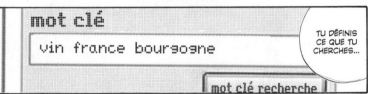

mot clé

vin france bourgogne

TU DÉFINIS
CE QUE TU
CHERCHES...

mot clé recherche

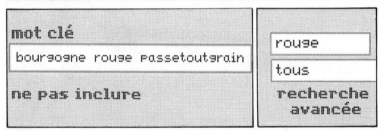

mot clé

bourgogne rouge passetoutgrain

ne pas inclure

rouge

tous

recherche
avancée

ET EN
UN CLIC, ON
DOIT AVOIR
LE VIN QU'ON
VEUT.

ercher

VRR カタッ

valeur

2000 YENS ～ 3000 YENS

rechercher

DE LÀ, JE VAIS POUVOIR COMMANDER LE VIN QUE JE VEUX.

#28 *Chauds, les frères cavistes de Shitamachi.*

*NDT : littéralement "la ville du bas", Shitamachi désigne les quartiers populaires dans les grandes métropoles japonaises.

SUIVANT...

AH,

ÇA VA...

BON, ET CELUI-CI ?

RATÉ...

2.800 hors frais de port rupture de stock

AH... Y'EN A PLUS.

CLIC !

DIS-QUELQUE CHOSE !

ALORS ? QU'EN PENSES-TU, MIYABI ?

CLIC !

QUAND ON CHERCHE UN AUTRE MILLÉSIME, C'EST PLUS FACILE...

CLIC !

AH, LÀ AUSSI IL EN RESTE PAS MAL...

...

EN REGARDANT CES LISTES, LES VINS RÉPUTÉS QUE JE CONNAIS...

SONT TOUS EN RUPTURE DE STOCK.

Mont-Pérat
prix 2770 yens (livre comprise)
rupture de stock
plus de détail
envoyer à un ami
voir sur mon port

ÉPUISÉ, LUI AUSSI !

OH, LE MONT-PÉRAT DE L'AUTRE JOUR !

JE CROIS QUE TU DEVRAIS POUVOIR TROUVER DU BON VIN...

SHI-ZUKU...

HEIN ?

TU VOIES CEUX QUE TU PEUX TE PROCURER.

IL FAUT DONC QUE TU LES NOTES, QUE TU PASSES VOIR CHEZ LES CAVISTES ET QUE...

PARMI CEUX EN RUPTURE DE STOCK SUR LE NET, BEAUCOUP SONT BONS.

ET DONC, ÇA VEUT DIRE QUE...

OUI...

• Hautes Côtes de Beaune 2000 gros fûts
• Lavessant 93
• Blanc de Blanc 98
• d'Arvailhac 99 demi-bouteille
• uit-Saint-Georges 96
• -Georges 99
de grand
illac 99

ON A UNE BONNE LISTE...

BON...

198

AH BON ?

CHOIX

DIS, JE CROIS QUE DES ANCIENS CAMARADES TIENNENT CETTE CAVE !

EH BEN ? C'EST NORMAL, JE VIENS D'UNE FAMILLE TRADITIONNELLE DE SHITAMACHI...

LE PC, C'EST DRÔLEMENT FACILE !

C'EST SÛR QUE C'EST EUX ! PRENDS LA LISTE, ILS NOUS FERONS PEUT-ÊTRE UN PRIX !

cave Ishikawa
cb ok

OH ?

JE VAIS EN ACHETER UN !

SEULE-MENT MAINTE-NANT ?

JUSQU'AU LYCÉE, OUI.

OH...

C'EST PAR LÀ QUE TU HABITAIS ?

*NDT : université très réputée.
*NDT : groupe de motards délinquants, généralement vivier pour les yakuza.

DRÔLES DE FRÈRES...

UN GÉNIE ET UN MAFIEUX ?

AH, C'EST LÀ !

MAIS LE GRAND FRÈRE ÉTAIT TRÈS INTELLIGENT ET A ÉTUDIÉ À HITOTSUBASHI*, JE CROIS...

ET TES ANCIENS AMIS ?

LE PLUS JEUNE ÉTAIT DANS UN BOSOZOKU*, IL ME SEMBLE ? IL A QUITTÉ LE LYCÉE AVANT LE BAC...

DES JUMEAUX...

IGNARE !

TU VENDS DU VIN ET TU NE CONNAIS PAS YUTAKA KANZAKI ?

J'AI DÉJÀ VU CE NOM QUELQUE PART...

KANZAKI... KANZAKI...

Bières TAIYO
département vins

Shizuku KANZAKI

TEL 03-0000-0
FAX 03-XXXX-X
E-mail S.kanzaki@ta

AH, KANZAKI... LE DIEU QUI ÉCLOT* ?

*NDT : signification des idéogrammes qui forment ce nom.

AH,

CONTENT DE TE REVOIR, MIYABI.

JUN'YA !

PARDON, MAIS YUTAKA KANZAKI ?

EUH, OUI...

OH ! JUN'YA, TU ES SOMMELIER ?

MOI AUSSI, J'AIMERAIS, MAIS JE VIENS DE ME PLANTER À L'EXAMEN...

OUI...

C'ÉTAIT MON PÈRE.

CRAB

ALLEZ, ENTREZ !

AH, JE LE SAVAIS !

AAH !

ON EST UN PEU À L'ÉTROIT, MAIS...

MIYABI EST MA CLIENTE !

EH, OÙ TU TE CROIS ?

VENEZ, JE VOUS PAIE UN COUP...

HOP!

HÉ !

ALLONS, ALLONS...

Y'A AUCUN RAPPORT !

SUFFIT D'UNE LICENCE !

PAS BESOIN DE CETTE SALOPERIE D'EXAMEN POUR VENDRE DE LA GNÔLE !

TU N'AS MÊME PAS LE TITRE DE CONSEILLER !

TU DIS, KEN'YA ?

DANS LA CAVE D'UN DÉLIN-QUANT ?

TU CROIS QUE LE FILS DE YUTAKA KANZAKI IRAIT...

PFF...

YEAH !

SUR CE POINT, VOUS N'AVEZ PAS CHANGÉ...

AH, NE VOUS DISPUTEZ PAS !

COMMENCEZ PAR KEN'YA...

ON NE PEUT PAS DIRE QUE CE SOIT LA CLASSE, MAIS...

JE VAIS ME MONTRER ADULTE.

SI VOUS VOULEZ JOUEZ LES GAMINS, DÉCIDEZ-LE À PIERRE-PAPIER-CISEAUX !

CE MONSIEUR JE-SAIS-TOUT !

...

...

POUR QUI IL SE PREND...

EH BEN ?

CET ENDROIT EST INCROYABLE ...

ÇA FAIT PENSER À "DON QUICHOTTE"* !

*NdT : Don Quichotte est un chaîne japonaise de magasins *hard discount*.

205

TOI NON PLUS, MIYABI ! NON !

EN PARTI-CULIER ? ET ALORS, VOUS CHERCHEZ UN TRUC...

KEN'YA.

TU NE CHANGES PAS...

LE PLUS CHER COÛTE DANS LES 3000 YENS. PARCE QUE PARMI LES VINS ICI...

C'EST PAS SIMPLE... AH, JE VOIS...

AH, JE M'EN DOUTAIS...

C'EST RÂPÉ POUR LES GEVREY-CHAMBERTIN, VOSNE-ROMANÉE ET CÔTE DE NUITS... MAIS DANS LES 2000,

VOUS ÊTES AU BON ENDROIT...

QUE DIS-TU DE ÇA ?

AH...

UN LA POUSSE D'OR...

Y'EN A PAS MAL DANS CES PRIX.

MAIS DANS LES VINS MINEURS DE CÔTES DE BEAUNE, POUR LES APPELLATIONS VILLAGE...

OUAIS...

IL EST VRAIMENT DANS LES 2000 YENS ?

MAIS...

C'EST UN PREMIER CRU, PAS UN VILLAGE...

BON, À LA LIMITE, VERS LES 2900*...

BAH, OUI...

TIENS !

QUI FAIT SON VIN NATURELLEMENT, SANS PRODUITS CHIMIQUES NI PESTICIDES, ET EST TRÈS RÉPUTÉ...

C'EST UN PRODUCTEUR DE BEAUNE...

UN SANTENAY CLOS TAVANNES 2002, ALORS...

Le Pousse d'Or

SANTENAY 1ER CRU CLOS TAVANNES

JAH VOL.   *Appellation Santenay 1er Cru Contrôlée*   750ML

mise en Bourgogne.   Dpt du Domaine du Pousse d'Or...

Produce of France.

*NDT : un peu moins de 18 euros.

EH BIEN, SHIZUKU ?

OOH ! ALORS...

ROBERT PARKER LUI DONNE ENTRE 90 ET 92 POINTS !

WOW !

AH, OUI PEUT-ÊTRE...

JE VOIS QU'IL A UN GROS POTENTIEL MAIS...

MMM ...

C'EST AUSSI POUR CELA QU'ILS ONT DU MAL À SE VENDRE ...

SELON LES BOUTEILLES, IL FAUT ATTENDRE 2 OU 3 HEURES...

LES VINS DE BEAUNE METTENT SOUVENT DU TEMPS À VIEILLIR, ET SONT DIFFICILES À BOIRE À L'OUVER- TURE...

IL EST SI ACIDE QU'ON DIRAIT DU VINAIGRE...

C'EST ENCORE TROP TÔT POUR LE BOIRE.

MM...

ÇA N'IRA PAS BIEN...

MAIS POUR CE DUEL FRANCE- ITALIE...

HEIN ?

LE- QUEL ?

DANS LES CÔTE DE NUITS, QUI SONT RAPIDEMENT FACILE À BOIRE...

IL Y A UN VILLAGE QUI FAIT DES PRODUITS BON MARCHÉ ET DE QUALITÉ.

ポン POF ポン

JE SAIS !

UN VIN DE LÀ-BAS...

POURRA SANS DOUTE...

MARSANNAY ?

...

LE VILLAGE DE MARSANNAY...

TU ME FERAS TOUJOURS RIRE !

HA HA HA !

UN MARSANNAY ?

MARSANNAY EST UN VILLAGE DONT LES VINS N'ONT ÉTÉ QUE RÉCEMMENT CLASSIFIÉS.

MERDE ! FAUT VRAIMENT QUE JE FASSE FAIRE UN VRAI MUR !

TU M'ES-PIONNES ?

EH ?

OH ! C'EST PAS UN MUR, MAIS UNE MONTAGNE DE VIN !

NON, J'ENTENDS, C'EST TOUT.

UN VILLAGE DANS LES 2000 YENS, C'EST PEU PROBABLE...

MAIS DANS LES BOURGOGNES ROUGES ORDINAIRES, IL Y EN A BEAUCOUP DE DÉLICIEUX...

NATURELLEMENT, MES BOURGOGNES NE VIENNENT QUE DE DOMAINES RÉPUTÉS...

OUI, MAIS CETTE FOIS JE RECHERCHE PLUTÔT UN VIN VILLAGE OÙ RESSORTENT LES SPÉCIFICITÉS DU TERROIR...

MM...

CEUX DE CHEZ LEROY, PARISOT, DENIS MORTET...

TOC !

TOC !

TOC !

SANS ÇA, JE NE PENSE PAS POUVOIR GAGNER...

ILS ONT TOUS UN NOM ET SONT DANS LA BONNE FOURCHETTE DE PRIX.

ET LE DERNIER EN VOGUE, LE DOMAINE LÉCHENEAUT...

AH, TU VOIS ? C'EST LE TERROIR QUI COMPTE !

C'EST BIEN DIFFICILE...

AH BON...

D'UN DOMAINE DE 3ᵉ CLASSE ?!

QUI SERAIT ASSEZ BÊTE POUR BOIRE LE PREMIER CRU À 3000 YENS ...

RE-TOURNE CHEZ TOI !

LA FERME !

TOI-MÊME !

RÉPÈTE !

TU VAS TE CALMER !

OH !

TU AS ACHETÉ 3 TONNES DE PIQUETTE !

ET TOI, ALORS ?!

TU AS PROFITÉ DE LA MALADIE DE PAPA POUR N'ACHETER QUE DES VINS HORS DE PRIX !

J'EN AI MARRE !

COMME DU SHÔ-CHU*!

TU CROIS PEUT-ÊTRE QUE LE VIN SE BOIT...

ET T'AS VU LA BOUTIQUE, MAINTENANT ?!

*NDT : alcool distillé japonais.

JE VOUS AI DIT D'ARRÊTER !

ARRÊ-TEZ ! VOUS ÊTES TOUJOURS AUSSI PUÉRILS !

HÉ, SHIZU-KU !

VIENS M'AID...

J'AI TROUVÉ !

HEIN ?!

Les Gouttes de Dieu   *Vol. 3 – Fin*

12 - Les meilleurs producteurs de Bourgogne (6)

Un historien célèbre du XVIIIe siècle a dit : "Il n'existe pas de vin ordinaire à Vosne-Romanée". Et en effet ce village, surnommé la perle de la Bourgogne, réunit des vignobles de la plus haute qualité, à commencer par le nec plus ultra Romanée-Conti, mais aussi Romanée-Saint-Vivant ou Richebourg… En tout, 8 grands crus de première classe. Il offre également 15 premiers crus, tous cultivés sur des parcelles attenantes à celles des grands crus, et grâce à un ensoleillement et une irrigation excellente, plusieurs d'entre eux circulent sur le marché à des prix atteignant plusieurs centaines de milliers de yens la bouteille, tel le Cros Parantoux qui apparaît dans *Les Gouttes de Dieu*. Bien sûr, on ne peut dire que les vins villages atteignent ces prix faramineux, toutefois, on raconte que les vins grands et premiers crus produits dans ce village sont les meilleurs cépages de pinot au monde. Les bons vins de Vosne-Romanée sont nobles et profonds, avec un arôme magnifique, et ils sont à vieillissement long.

Il s'agit ici de présenter les meilleurs producteurs, mais il se trouve que les stars du monde du vin tels Henri Jayer, le dieu des bourgognes, Madame Leroy que d'aucuns appellent un génie, ou encore la DRC, qui produit la Romanée-Conti, y sont basés (nous

aurons une chance de les présenter une autre fois).

Il y a également tant d'autres producteurs doués à Vosne-Romanée que nous y consacrerons deux articles. Ici, nous allons commencer avec ceux de premiers crus et crus village.

Emmanuel Rouget. Le neveu d'Henri Jayer. Son Cros Parantoux, qui apparaît dans le manga, est d'une facture si exquise qu'on le dit souvent "idéal". Son Les Beaumonts est également un must, et ses villages sont délicieux.

Meo-Camuzet. Son Cros Parantoux est aussi bon que celui d'Emmanuel Rouget. Ses vins sont doux et juteux.

Anne-Françoise Gros. Cette héritière de la célèbre famille Gros fait des vins élégants. Tous ses vignobles village sont très bien placés, proches des parcelles des grands crus, ce qui les rend si bons qu'il valent bien un premier cru ordinaire.

Michel Gros. C'est le frère d'Anne-Françoise. Sa spécialité est le Clos des Réas, un premier cru, monopole traditionnel de la famille Gros.

Gros frère et sœur. Le petit frère de Michel, mentionné dans le chapitre 7 du manga. Excellent rapport qualité/prix.

Sylvain Cathiard. Il possède des premiers crus de qualité supérieure, situés près des vignobles de la DRC. Nous recommandons chaudement son "En Orveaux" et son "Les Malconsorts".

Jean-Yves Bizot. Voisin du génial Henri Jayer. Il emploie des méthodes de production naturelles, dont il tire des vins profonds, moelleux et racés. Son "Vieilles Vignes", produit à partir de ceps ayant entre 50 et 70 ans, a un fort potentiel.

René Engel. Le critique Robert Parker lui a décerné 4 étoiles. Son village est élevé exceptionnellement longtemps (18 mois), ce qui lui confère un goût qui vaut celui d'un premier cru.

13 - Les meilleurs producteurs de Bourgogne (7)

On dit que la région viticole de Vosne-Romanée, en France, est "un village béni des dieux". Nous allons poursuivre cette fois-ci en nous concentrant sur les grands et premiers crus, trésors de ce village.

Les grands crus du village de Romanée sont 1) Romanée-Conti (comme vous le savez, un vin de rêve à plusieurs centaines de milliers de yens, soit plusieurs centaines d'euros) 2) La Tâche 3) Richebourg 4) Romanée-Saint-Vivant 5) La Romanée 6) La Grande Rue. Parmi eux, le 1 et 2 sont le monopole du Domaine de la Romanée-Conti, le 3 celui du domaine Vicomte Liger-Belair, et le 6 celui du domaine François Lamarche. Bien que seuls deux grands crus, Romanée-Saint-Vivant et Richebourg, soient exploités par plusieurs producteurs, le problème est leur prix, qui restent très élevés.

C'est donc là que nous nous dirigeons, vers le village voisin de Flagey-Échézeaux. D'après une décision légale ayant trait au vin, les producteurs de ce village, grâce à leur position géographique ont le droit de vendre sous l'appellation "produit de Vosne-Romanée". Flagey-Échézeaux produit d'ailleurs deux grands crus, le Grand Échézeaux et l'Échézeaux. Le premier, situé sur

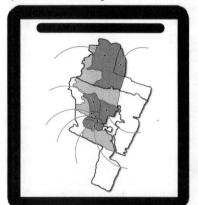

le haut des coteaux, est d'une qualité et d'un prix très élevé ; mais le second est cultivé sur une parcelle plus large que se partagent plusieurs producteurs, et son prix est donc relativement abordable. Les bons producteurs font un Échézeaux partageant avec les vins de Vosne-Romanée un arôme magnifique et un riche arôme de fruit. Nous allons vous présenter, parmi ces derniers, ceux qui font des grands crus à moins de 20 000 yens (environ 120 €).

Jayer Gilles. C'est le fils de l'un des disciples d'Henri Jayer. Ses vins sont fruités et puissants. Son Échézeaux, très réputé, se trouve autour de 10 000 yens (environ 60 €).

Mongeard-Mugneret. C'est le plus grand producteur d'Échézeaux. Il produit un vin complexe et moelleux. Dans un excellent rapport qualité-prix, on peut se procurer son Échézeaux pour 6000 à 7000 yens (environ 37 à 43 €).

Mugneret-Gibourg. Un vin bien équilibré à maturation longue. Son Échézeaux est très recherché, mais reste à un niveau abordable de 10 000 yens (environ 66 €).

Jacques Cacheux. Son vin est savoureux et dense. Son Échézeaux (dans les 8000 yens, soit 50 €) est un must. La rumeur veut que son millésime 2002 soit meilleur que celui de la DRC.

Robert Arnoux. Implanté depuis 5 générations, son domaine est souvent surnommé "le petit DRC". On trouve son Échézeaux autour de 10 000 yens (66 €), et ses premiers crus sont très réputés.

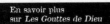
14 – Qu'est-ce qu'un second vin ?

Vous avez sûrement entendu demander, chez un caviste, "un second vin" de tel ou tel cru. Mais que signifie cette expression ? Pour l'expliquer simplement, il s'agit d'un vin "de seconde classe", fait à partir de la récolte des châteaux bordelais, mais qui n'a pas passé les critères de sélection sévères de ces derniers.

Ces seconds vins sont vendus sous une marque différente de celle des vins de premier rang. Bien que les facteurs de choix soient variés, on peut dire que dans la plupart des cas **1) les raisins ne peuvent être utilisés pour le premier vin car les ceps sont encore trop jeunes 2) ils ne proviennent pas d'un vignoble dont le sol est de qualité suffisante et 3) il a été jugé, lors des tests durant leur séjour en cuve, que le résultat n'était pas digne des critères exigés pour le premier vin.** Les vins de ce 3e cas sont ceux qui, au niveau du goût, se rapprochent le plus de ce dernier (le raisin comme le vignoble étant le même, cela se comprend aisément). Ces seconds vins "tombés des cuves" du Pauillac Château Pichon Longueville Baron ou bien du Margaux Château Palmer sont très recherchés. De plus, pour ces châteaux de première classe, des critères de sélection sévères sont également établis pour les seconds vins. Il arrive que ceux qui ne les satisfont

pas soient vendus dans la catégorie encore inférieure, et ne bénéficient même pas de l'étiquette du château. Ils sont alors vendus au tonneau à des négociants. Par exemple, le second vin du Pauillac Château Latour, Les Forts de Latour (issu d'un vignoble et d'un raisin différents du premier) subit un examen sévère pour savoir s'il a la même qualité que les autres seconds vins pourvus d'un label ; et il n'est mis en bouteille que si c'est le cas. C'est pour cela que Les Forts est considéré comme le chef-d'œuvre des seconds vins et peut s'enorgueillir d'une réputation aussi bonne que celle de châteaux célèbres.

Au fait, comment réaliser de bonnes affaires avec les seconds vins quand on a un budget serré ? Tout d'abord, en géné-

ral, le prix d'un second vin est la moitié, voire le tiers de celui du premier. La culture de la vigne et la méthode de vinification étant les mêmes, on peut dire que le rapport qualité-prix est excellent. De plus, la plupart des Bordeaux mettent du temps à arriver à maturité, demandant au moins une dizaine d'années, alors que le second vin, moins puissant, néces-site moins de temps de vieillissement. C'est un grand avantage que de pouvoir déguster un vin jeune, mais déjà mature.

Cependant, il y a un point sur lequel on doit faire très attention. Depuis quelque temps, de plus en plus de châteaux de seconde classe, essayant de faire le maximum de profit, ne respectent pas les règles de production et font un second vin de mauvaise qualité. Il est donc important de ne pas sauter aux conclusions quant aux seconds vins : tous ne sont pas des affaires en or.

▮▮ 15 – Le charme du goût changeant selon le verre ▮▮

Ne vous est-il pas déjà arrivé de ressentir une différence de goût et d'arôme dans un même vin, en le buvant dans un verre différent ? Le goût du vin est en effet à ce point sensible. Il est donc extrêmement important, afin d'apprécier au mieux un vin, de choisir soigneusement le verre dans lequel on le boit. La langue permet aux humains de ressentir différent goûts, selon la partie où l'on dépose l'aliment. Sur le bout de la langue, le sucré, sur les côtés avant, le salé, puis l'acide, et enfin le fond de la langue reconnaît l'amer. C'est pour cela que l'impression gustative donnée par le vin diffère selon sa manière de s'écouler, une fois dans la boive en bouche : qu'on le boive directement ou non, qu'on le laisse passer sur l'avant ou l'arrière de la bouche. De plus, selon la forme du "bol" du verre, l'arôme se dégage de manière différente.

En se référant à ces éléments et aux particularités du vin, voici comment l'on choisit son verre.

• Bourgogne rouge

Les bourgognes rouges ayant un arôme fruité prononcé, le plus indiqué est un verre rond (verre à bourgogne) qui permettra de bien le faire circuler en bouche et d'en sentir jusqu'à l'acidité. Parmi ces verres, ceux à l'ouverture rétrécie permettent de retenir les arômes et de mieux en apprécier la puissance, caractéristique des bourgognes. Il est également recommandé de choisir un grand verre.

• Bordeaux rouge

Pour les bordeaux tanniques et acides, et afin d'éviter qu'il ne passent "d'un coup" dans la bouche, mieux vaut un verre légèrement ovale, à la forme allongée (verre à bordeaux). Ainsi, on pourra apprécier pleinement la complexité des arômes et des cépages typiques de ces vins.

• Vins blancs

Ils sont meilleur si bus plus frais ; un verre plus petit que pour le rouge est donc plus indiqué, afin d'éviter que la température n'augmente trop vite.

Ces verres ont été pensés afin de s'accorder à la personnalité des cépages. Pour les bordeaux, c'est le cabernet sauvignon, pour le bourgogne, le pinot noir. Il faut donc choisir les verres en se basant sur cette composante. Ainsi, on peut l'appliquer à d'autres vins que les français, comme ceux d'Australie, d'Italie ou des USA.

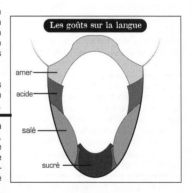

Les goûts sur la langue

amer

acide

salé

sucré

Forme des verres

Bourgogne | Bordeaux | Blanc

Voici les autres facteurs intervenant sur le choix du verre. Servez-vous-en afin de pouvoir apprécier toute la délicatesse des arômes du vin.

• Pour pouvoir apprécier la couleur du vin, toujours choisir des verres transparents.

• Il faut éviter de prendre le bol du verre entre ses mains, car cela fait monter la température du vin. Choisir des verres à pied long et mince.

• Quand on fait tourner le vin pour en révéler les arômes, il vaut mieux prendre des grands verres car il est important de ne pas en renverser. L'idéal se trouve autour de 200 mm de contenance.

• Pour avoir une sensation aiguisée lorsque l'on pose le verre sur le bord des lèvres, le mieux est un cristal fin.

16 — Les vins liquoreux (1)

Le vin de dessert est apparu dans le chapitre 11 du manga, allié à du chocolat à la fin du repas. Je pense que beaucoup de gens n'en ont jamais entendu parler. Nous allons aujourd'hui présenter les "vins à pourriture noble", exemples représentatifs des vins de dessert.

Ces vins sont fabriqués sous des conditions climatiques bien précises. Au moment de la récolte du raisin, en automne, l'humidité des brumes matinales fait naître une moisissure (*botrytis cinerea*) sur le raisin mûr. Cette moisissure attaque l'extérieur de la peau du raisin et y perce d'innombrables petits trous. C'est après dissipation de ces brouillards, grâce à l'air de nouveau sec, que l'eau des fruits s'évapore par ces derniers. La répétition de ce processus crée un jus très concentré, et le raisin est ainsi "botrytisé". On produit le vin à partir de ce jus. La fermentation ne peut se faire que doucement, à cause du taux de sucre particulièrement élevé. Le résultat est un vin d'un beau doré brillant, à la consistance fondante, à l'arôme complexe et très sucré, et au bouquet riche et savoureux.

C'est la raison pour laquelle on dit que les vins botrytisés peuvent supporter un vieillissement de plus de cent ans. Le nectar, ce vin sacré que dégustaient les dieux de l'Olympe, est un vin botrytisé. Ses principales régions de production sont Sauternes, dans le Bordelais, en France, RheinHessen et Mosel-Saar-Ruwer en Allemagne, et Tokay en Hongrie.

• **Sauternes** : Y sont reconnus 11 premiers crus et 14 seconds crus, ainsi que le Château d'Yquem, actuellement propriété de LVMH, le seul premier cru supérieur. Mais même des châteaux qui ne sont pas classés produisent un vin de première qualité. Dans la même région, le vin du village de Barsac est relativement moins sucré.

• **Rheingau et Mosel-Saar-Ruwer** : Toutes ces régions de production se trouvent dans le Sud de l'Allemagne. Parmi les Qmp (correspondant aux plus grands vins selon la classification allemande) dont les taux de sucres sont très élevés, les Trockenbeerenauslese et Beerenauslese sont des vins botrytisés.

• **Tokay** : C'est une région de production au nord-est de la Hongrie. Parmi les vins botrytisés qui y sont faits, le plus connu, le Tokay Aszu-Eszencia, était si apprécié de Louis XIV (1643-1715) qu'il en a dit : "C'est le vin des empereurs, et l'empereur des vins". Il est au nombre des "3 meilleurs vins botrytisés du monde" avec le Sauternes et le Trockenbeerenauslese.

Les vins moelleux dont font partie les vins botrytisés perdent leur goût s'ils sont bus tièdes, c'est pourquoi il faut rafraîchir la bouteille ou le verre avant de les déguster. L'auteur a tenté autrefois de les servir avec un dîner à l'occidentale, comme n'importe quel vin blanc, et ce fut une erreur. Leur goût sirupeux ne se mariait pas avec celui des plats. Les Français les boivent avec le dessert, mais des Japonais (NDT : qui traditionnellement n'en prennent pas) pourront sans doute en apprécier un verre en tant que dessert.

▮▮▮▮ 17 – Les vins liquoreux (2) ▮▮▮▮

Nous poursuivons notre incursion dans le monde des vins de dessert, cette fois-ci en présentant les vins de glace.

Comme leur nom l'indique, ils sont produits à partir de raisins mûris sous le gel. Quand arrivent les périodes de gel dans les régions où l'hiver est rigoureux, la peau du raisin, les grains et l'eau se glacent. Mais les sucres et la chair restent à l'état de solide, car leur point de gel se trouve à une température plus basse encore. Ces raisins donnent un jus particulièrement concentré et une fois vinifiés, donnent au vin un sucré particulièrement prononcé et un arôme savoureux : ce sont ces fameux vins de glace.

On dit qu'ils sont nés en Allemagne vers la fin du XVIIIe siècle, quand un fermier eut l'idée d'essayer de faire du vin au lieu de jeter sa récolte gelée. Cette méthode s'est transmise en Autriche voisine et au Canada, où ont émigré de nombreux viticulteurs. La plupart de ces vins sont blancs, mais depuis quelque temps, on commence à en voir des rouges sur le marché.

Forme des bouteilles

Le vin de glace est dans une bouteille fine pour faciliter le rafraîchissement.

Vin de glace   Vin blanc

Bien que l'appellation "vin de glace" dépende, selon les règles du commerce international, de sa méthode de production, dans les faits elle ne peut être employée que pour les vins d'Allemagne, d'Autriche et du Canada. Il existe également des "vins de fruits glacés", mais il s'agit de produits différents car faits à partir d'autres fruits que le raisin.

Les vins de glace sont chers, car d'une part on ne peut obtenir qu'environ 10 % du jus du raisin glacé, et d'autre part ils exigent des méthodes de production contraignantes, comme les récolter sans attendre lors des matins les plus froids. C'est particulièrement vrai pour le Canada, où sont fixées des règles de production et des critères ayant trait au vin très stricts, comme l'interdiction de récolter si la température n'est pas restée à -8° C pendant au moins 3 jours, ou l'obligation de presser immédiatement après la récolte. C'est pour cela que les vins canadiens sont considérés comme de qualité supérieure (et leur prix est en conséquence). De plus, le réchauffement de la planète rend difficile la culture de ces vins en Europe, et les Canadiens représentent maintenant la plus grosse partie du marché.

En Autriche et en Allemagne, ce vin est appelé *Eiswein*. D'après la classification allemande des vins, le vin de glace se situe au second rang, derrière le *Trockenbeerenauslese*. C'est à peu près pareil en Autriche.

Comme pour les vins botrytisés, il faut bien les rafraîchir avant de les boire afin de les déguster au mieux de leur arômes. Mettez-en un peu au fond d'un verre et faites-le doucement tourner afin d'apprécier également l'arôme de fruits qui s'en élève. Pour l'auteur, ce vin sucré se ressent au cœur d'une impression plus fraîche, au contraire des vins botrytisés qui fondent dans la bouche, mais ils sont tout aussi sirupeux. De même, on peut les apprécier en tant que dessert au lieu d'accompagnement de ce dernier.

Depuis son apparition dans *Les Gouttes de Dieu*, le Château Mont-Pérat se trouve en rupture de stock constante. Tadashi Agi a eu l'occasion de pouvoir interviewer le viticulteur qui se trouve derrière ce vin, monsieur Despagne. Il a recueilli des scoops sur le Mont-Pérat 2003, ce très bon millésime pour les Bordeaux, qui sera disponible cet été.

Le viticulteur du château Mont-Pérat, monsieur Despagne

Q (Tadashi Agi) : Comment est ce nouveau Mont-Pérat ?
R (M. Despagne) : Les Amants du Mont-Pérat est un vin cultivé dans un coin du vignoble du Château Mont-Pérat, où le raisin croît sur un sol d'argile bleue. Les Japonais qui ont tant aimé le Mont-Pérat pourront le déguster au mois d'août, avant le reste du monde.

Q : C'est un honneur. Pouvez-vous expliquer ce qu'est l'argile bleue ?
R : On l'appelle ainsi car elle a des reflets bleus, et son sol a une structure unifiée typique. Nous avons utilisé un cépage merlot particulier, au goût différent de celui du Mont-Pérat. Disons que nous avions envie de faire une cuvée spéciale de Mont-Pérat.

Q : Quand je l'ai goûté, j'ai eu une impression de concentration et de grande qualité. À combien pensez-vous le vendre ?
R : Je ne veux pas vendre des vins hors de prix. Donc je pense rester dans les 4000 yens (environ 25 €), au Japon.

Q : Vous n'utilisez que 6 grappes par cep pour le Mont Pérat. Comment arrivez-vous à le vendre aussi bon marché en dégageant du profit ?
R : C'est étrange, n'est-ce pas ? (rires). Nous possédons plusieurs cuvées, et nous faisons aussi des vins qui rapportent beaucoup. Plutôt que le bénéfice, ce que je voulais avec le Mont-Pérat est prouver que l'on peut faire du vin excellent, même dans des vignobles village.

Q : Le critique Robert Parker Junior a décerné au Mont-Pérat 2003 une note de 89 à 91 points, et a dit à son sujet : "Cette excellente cuvée Mont-Pérat 2003 ressemble vraiment à une grande explosion de fruits". Il est donc encore meilleur que les 2001 et 2002 ?
R : Il est vrai qu'avec la canicule qui s'est abattue sur la France à l'été 2003, le vin est particulièrement concentré et fruité.

Q : Et son prix ne va-t-il pas augmenter par rapport aux cuvées précédentes ?
R : Le marché du vin en général a vu ses prix augmenter en 2003. Le Mont-Pérat de ce millésime va donc être un peu plus cher, mais moi vivant, il ne deviendra pas un vin hors de prix ! (rires)

Liste des vins des domaines de Vosne-Romanée à moins de 60 euros

Les prix ne sont qu'indicatifs, et dépendent des négociants et des millésimes.

★ Emmanuel Rouget	★ Meo-Camuzet
Son Vosne-Romanée village est un peu cher mais son goût vaut un premier cru. Dans un autre district, le Savigny-Lès-Beaune. Vin communal bourgogne Passetoutgrain.	Vosne-Romanée village Bourgogne Haute-Côtes de Nuits Blanc Clos Saint Philibert
★ Gros Frère et Sœur	**★ Sylvain Cathiard**
Les Chaumes premier cru Vosne-Romanée premier cru (pas de nom de vignoble) Vin communal Haute-Côtes de Nuits rouge	Nous recommandons le premier cru Les Malconsorts, vignoble situé juste devant celui du grand cru La Tâche. Vosne-Romanée En Orveaux premier cru. Premier cru Les Reignots
★ Anne-Françoise Gros	**★ Michel Gros**
Échézeaux grand cru Village avec nom de cru : Vosne-Romanée Maizières (se trouve près d'un vignoble grand cru, qualité d'un premier cru) et Vosne-Romanée Clos de la Fontaine	Monopole Vosne-Romanée Clos de Réas. Premier cru Aux Brûlées (depuis 1997, voisin du vignoble Richebourg) Bourgogne rouge
★ Jean-Yves Bizot	**★ René Engel**
Vosne-Romanée premier cru (pas de nom de vignoble) dont les jeunes ceps sont mêlés à ceux du grand cru Échézeaux. Village : Les Jachées (utilisant des ceps d'au moins 50 ans) et Vosne-Romanée Vieilles Vignes (ceps entre 70 et 80 ans).	Grand cru Échézeaux Premier cru Les Pruliers Nous recommandons son Vosne-Romanée village longuement gardé en cuves.

Liste des vins des domaines de Vosne-Romanée à moins de 120 euros

★ Jayer Gilles	★ Mongeard-Mugneret
Échézeaux grand cru Premier cru Nuits-Saint-Georges Les Hauts Poirets Haute Côte de Beaune blanc	Grand cru Richebourg Grand cru Grand-Échézeaux Grand cru Échézeaux
★ Robert Arnoux	**★ Domaine des Perdrix**
Grand cru Échézeaux Premier cru Les Chaumes Village avec nom de vignoble : Vosne-Romanée Aux Maizières	Grand cru Échézeaux Premier cru Nuits-Saint-Georges Aux Perdrix
★ Mugneret-Gibourg	**★ Jacques Cacheux**
Grand cru Échézeaux Village Vosne-Romanée Bourgogne rouge	Grand cru Échézeaux Premier cru La Croix Rameau Premier Cru Les suchots
★ Francois Lamarche	**★ la bonne affaire !**
Grand cru monopole La Grande Rue Grand cru Échézeaux Premier cru La Croix Rameau	Premier cru Les Gaudichots. En 1932, le grand cru La Tâche a absorbé la parcelle voisine Les gaudichots, à part une parcelle que 3 producteurs exploitent désormais, sous ce même nom de premier cru. Mais ils n'en produisent que deux cuves par an, il est donc très difficile de s'en procurer.

Liste de nos recommandations de seconds vins

★ Mes seconds vins des 5 grands châteaux (bien moins chers mais d'une grande qualité)

Château La Tour = Les Forts de Latour
Château Lafite Rothschild = Carruades de Lafite
Château Mouton-Rothschild = Le Petit Mouton de Mouton-Rothschild (produit en très petite quantité)
Château Haut-Brion = Le Bahans du Château Haut-Brion
Château Margaux = Pavillon Rouge du Château Margaux

★ Autres recommandations de seconds vins

Château Léoville Las Cases = Clos du Marquis
Château Pichon Longueville Baron = Les Tourelles de Longueville
Château Pichon Longueville Comtesse de Lalande = Réserve de la Comtesse
Château Cos-D'Estournel = Les Pagodes de Cos
Château palmer = Alter Ego de Palmer (jusqu'en 97, vendu sous l'appellation Réserve du Général)
Château Lagrange = Les Fiefs de Lagrange
Château Gruaud-Larose = Sarget de Gruaud-Larose
Château Montrose = La Dame de Montrose

Recommandations de fabricants de verre pour mettre en valeur le vin

RIEDEL

Un fabriquant autrichien, fort d'une histoire de 250 ans, soutenu par les sommeliers du monde entier. Il a une telle réputation que l'on dit souvent : "le vin se boit dans du Riedel". Ses prix varient entre plus de 10 000 yens (environ 65 €) le verre pour sa série "sommelier", à 1000 yens (environ 6,50 €) pièce pour sa série "basique". Si vous avez les moyens (3000 yens le verre, environ 19,50 €) nous recommandons la série vinum, qui a fait la réputation mondiale de cette maison.

SPIEGELAU

Établi depuis 1521, il a été racheté par Riedel. Ses produits sont un peu moins chers que ceux de Riedel. Nous recommandons la série "vino grande" (de 1200 à 1300 yens pièce soit environ 7,50 €).

CRISTAL D'ARQUES

Un fameux nom du verre français. Très connu pour sa série que l'on peut utiliser avec plusieurs types de vin. Cette série a été jugée comme "le verre de vin" idéal par Le Figaro.

Essayer les 3 meilleurs vins botrytisés

Les vins d'Allemagne
Le nom Trockenbeerenauslese signifie "sélection de baies séchées". Quant au Beerenauslese, il s'agit d'un mélange de raisins mûris naturellement et de raisins botrytisés. Les premiers se vendent à environ 10 000 yens (65 €) pour les plus chers mais il y en a de meilleur marché, dans les 3000 yens (19,50 €). Les seconds se trouvent entre 2000 et 3000 yens (de 13 à 19,50 € environ) pour 375 ml.

Vins de sauternes
Premier cru supérieur Château d'Yquem ; les demi-bouteilles sont à plus de 10 000 yens (65 €), les bouteilles les plus chères atteignent plus de 10 fois ce prix. Les autres vins, à la bouteille, se trouvent à moins de 10 000 yens (65 €).
Premiers crus : Château Suiduiraut, Château Climent, Château Rieussec
Seconds crus : Château Caillou, Château Doisy Daëne
Autres : Château de Fargues, Château Gilette, Château Raymond-Lafon

Vins de Tokay
Les vins de Tokay sont produits en ajoutant du jus de raisin botrytisé à un vin blanc normal. Ce vin devient alors du Tokay Aszu, et plus la part de raisin botrytisé dans la cuve (puttonyo) est élevée, plus il est sucré et plus il est cher. Ceux de 3 à 5 puttonyo peuvent coûter dans les 2000 yens (13 €), quant aux Tokay Aszu Eszencia, botrytisés à 100 %, on les trouve à partir de 10 000 yens (65 €) la bouteille de 500 ml.

Les vins de glace

★ CANADA

L'état d'Ontario, autour de Niagara-on-the-Lake, et celui de Colombie Britannique, autour d'Okanagan, sont les principales régions de production. Il n'y a aucun insecte nuisible au raisin dans cette dernière région, le vin y est donc produit sans pesticide. Il existe en bouteilles de 50, 200 et 375 ml. Ces dernières se trouvent environ à 10 000 yens (65 €).

- Château des Charmes Vidal icewine
- Gehringer Brothers Estate Winery Riesling icewine
- Inniskillin icewine
- Lakeview Cellars Estate Winery Vidal
- Pillitteri Estate Winery Riesling icewine

★ ALLEMAGNE

- Maybach eiswein
- Rosenberg Burgender eiswein
- Whineheimmerkirchenstuck eiswein
- Kirchheimer Schreube eiswein
- Eckelsheimer Eselstreiber eiswein

★ AUTRICHE

- Neusidlersee eiswein

Shizuku Kanzaki, le héros de ce manga, a un don pour la dégustation et pour exprimer ses impressions sur un vin. Cependant, il ne connaît strictement rien au vocabulaire des professionnels, œnologues ou critiques. Nous allons expliquer ici les mots qui apparaissent dans *Les Gouttes de Dieu*.

■ Bourgogne rouge

Vin rouge produit à partir de raisin cultivé dans la région bourguignonne. Catégorie inférieure à l'appellation village ; et comme le raisin ne provient pas d'un seul vignoble, la touche du producteur y ressort facilement.

■ Chablis

Région de production viticole dans l'Yonne, en Bourgogne. C'est aussi le nom d'un vin blanc sec qui y est fabriqué à partir de cépage chardonnay.

■ Chardonnay

L'un des cépages de raisin utilisés dans la fabrication des vins blancs. Il est très apprécié dans le monde entier car facile à récolter et n'ayant pas de particularité forte, il reflète bien la touche du vinificateur.

■ Coordinateur

Personne chargée d'accorder les plats et les vins. Autre nom du sommelier ou conseiller.

■ Couteau de sommelier

Instrument de spécialiste afin d'ouvrir les bouteilles de vin. Il consiste en une poignée avec une lame pour découper la capsule et un tire-bouchon.

■ Cuvée maison

Un vin choisi dans les restaurants spécialement pour accompagner les plats. Souvent, il n'est pas très caractéristique et choisi car il se boit facilement.

■ Domaine

Désigne les producteurs et les vignobles en Bourgogne.

■ Domaine Guigual

Célèbre producteur de vins possédant un vignoble de 30 hectares dans le Rhône. Il produit chaque année 6 millions de bouteilles, mais aussi quelques crus de Côte-Rôtie en petite quantité.

■ Hudelot-Noellat (Alain)

Un producteur bourguignon très en vue actuellement. Il est souvent comparé aux Leroy car il détient des parcelles dans les mêmes vignobles de grand cru. Ce domaine populaire n'exporte que 25 % de sa production.

■ Insigne de sommelier

Un badge distribué par la JSA (association des sommeliers japonais) aux personnes ayant réussi l'examen de sommelier. Il a la forme d'une grappe de raisin.

■ Mariage

Désigne l'alliance des vins et des mets ; le principe étant qu'ils se mettent en valeur réciproquement.

■ Minéralité

L'une des expressions utilisées pour décrire le goût du vin. C'est goût de fer, de minerai.

■ Porto

Un vin fortifié par l'ajout de brandy à plus de 70° d'alcool et à la fermentation arrêtée en cours de route. Originaire du Portugal, le rouge est souvent servi en vin de dessert et le blanc à l'apéritif.

■ Premier cru

Vin de qualité supérieure, premier choix. En Bourgogne, il désigne les vins de la catégorie inférieure aux grands crus.

■ Rhône

Région de production du sud-est de la France, sur les rives du fleuve Rhône. C'est la deuxième région de production AC en France, après Bordeaux. De nombreuses variétés de vins y sont produites, et la région est divisée en nord et sud, de par la différence de qualité de sol, de climat et de cépage.

■ Robert Parker Junior

Critique de vins mondialement connu. Il a mis au point le système de notation Parker Point (sur 100 points) utilisé par la plupart des amateurs. Né en 1946 aux USA.

■ Sol calcaire

Désigne un sol peu argileux, constitué principalement de calcaire. Autrefois situé sous la mer, on y trouve du plancton et des coquillages fossilisés. Les conditions d'irrigation d'un sol calcaire sont particulièrement bonnes.

■ Syrah

Cépage aussi appelé raisin noir. Elle est cultivée en France dans les Côtes du Rhône, ou encore en Australie. Les vins qui en sont issus ont un arôme de fruit très puissant et un goût épicé ressemblant au poivre noir.

■ Titre de conseiller

Il concerne les importateurs et négociants en vin. Contrairement aux sommeliers, ils n'ont pas d'examen pratique comme l'ouverture du vin. Pour l'obtenir, il faut toutefois faire preuve de 3 ans d'expérience.

■ Vin de dessert

Vin très sucré employé en accompagnement des desserts, comme son nom l'indique. Cette catégorie comprend par exemple les vins botrytisés, fabriqués à partir de raisin atteint de pourriture noble, ou encore les vins de glace, faits à partir de raisin gelé.

■ Vin vendu au verre

Certains restaurants offrent de commander du vin au verre (ou en pichet, ou en carafe) et non à la bouteille. Les avantages : c'est meilleur marché et on peut goûter différentes sortes de vin. Cependant très peu de très grands vins sont proposés ainsi.

★★★☆☆ **Château Léoville Barton**

1992 – 5800 yens (environ 36 €). Il se boit très bien et est assez moelleux mais, sans doute parce que ce n'est pas un très bon millésime, les tanins et l'arôme de fruit ne se sentent pas assez. Les vins qui se boivent bien seraient-ils trop doux ?

La Gibryotte, bourgogne rouge ★★✦☆☆

2002 – 2780 yens (environ 17 €). Les fils du célèbre Claude Dugat l'ont produit avec du "raisin acheté", et c'est le premier millésime. Son corps était légèrement faible mais sa richesse en fruit et son arôme en font un excellent bourgogne.

★★★☆☆ **Vosne-Romanée Yves Bizot**

1999 – 3000 yens (environ 18 €). Vin village d'Yves Bizot, le voisin d'Henri Jayer. À vrai dire, il était si acide à l'ouverture que je l'ai cru abîmé, mais il s'est ouvert après une heure. Il donne une impression de volume, avec un moelleux de grande qualité et un arôme riche en fruit.

Vosne premier cru Paul Pernot ★★★☆☆

2002 – 3980 yens (environ 25 €). Son acidité à l'ouverture m'a quelque peu inquiété, mais après deux heures il a offert tout son potentiel. Un arôme acidulé de framboise et un moelleux de qualité en font un vin agréable à déguster.

★★★☆☆ **Sandalford**

Cabernet-Sauvignon 2003 (Australie), 2680 yens (environ 17 €). Je l'ai essayé sur la simple suggestion d'un sommelier, monsieur Shin'ya Tazaki. C'est un vin complexe, avec un arôme de fruit très concentré, et une structure 100 % Cabernet-Sauvignon. À ce prix-là, c'est vraiment une bonne affaire.

Nuits-Saint-Georges Prieuré Roch (pas de note)

Premier cru 1997, 6000 yens (environ 37 €). Dans le passé, j'ai déjà bu deux premiers crus 97 de ce producteur qui étaient abîmés. Et encore une fois, à l'ouverture... fichu ! J'aime beaucoup les vins du Prieuré Roch, mais il convient de faire très attention aux millésimes 97.

★★☆☆☆ **Rully premier cru La Fosse Domaine Saint-Jacques**

Dans les 2000 yens (environ 12 €). J'ai été surpris par son moelleux en bouche allié à un arôme fruité si concentré que l'on ne croirait pas qu'il s'agit d'un pinot noir. Mais est-ce à cause de la structure du sol de la commune de Rully ? Pour ce qui est d'une note finale de caractère... Cependant, son bon rapport qualité/prix est avéré.

Château Le Conseiller ★★☆☆☆

2002 – 2480 yens (environ 15 €). Un 100 % merlot au corps solide produit par un viniculteur employant les techniques les plus modernes. Il est rond en bouche dès l'ouverture. Arômes de fruits des bois et de vanille. Il laisse l'impression d'un vin dont le goût a été soigneusement étudié.

LES GOUTTES DE DIEU

Édition française
Traduction : Anne-Sophie Thévenon
Correction : Jean Defrance
Lettrage : Sébastien Douaud

Éditions Glénat
BP 177 – 38008 Grenoble Cedex.
ISBN : 978-2-7234-6480-2
ISSN : 1253-1928
Dépôt légal : août 2008

Imprimé en France en janvier 2009 par Hérissey-CPI
27000 Évreux – France

www.glenatmanga.com